ГАЛИНА РОМАНОВА

Последнее прибежище негодяя

ЭКСМО

Москва

2015

УДК 821.161.1-312.4
ББК 84(2Рос=Рус)6-44
Р 69

Оформление серии *А. Дурасова*

Романова, Галина Владимировна.
Р 69   Последнее прибежище негодяя : [роман] /
Галина Романова. — Москва : Эксмо, 2015. —
320 с. — (Детективная мелодрама. Книги Г. Романовой).

ISBN 978-5-699-78750-0

Александра Воронцова просто не могла скрыть своих слез — мало того что ее несправедливо обвинили в промышленном шпионаже на работе, чуть было не уволили, разругалась со своим парнем Сашей Горячевым, так теперь случилась самая страшная беда — умер любимый дедушка. А полиция обвиняет ее деда в убийстве его соседей Лопушиных на бытовой почве. И якобы после этого преступления дед сам и застрелился из своего трофейного наградного пистолета. Александра во все это поверить не может, не таким человеком был ее родственник, но никто ей не верит, рассчитывать приходится только на себя...

УДК 821.161.1-312.4
ББК 84(2Рос=Рус)6-44

ISBN 978-5-699-78750-0

ГЛАВА 1

— Ну вот и засентябрило... — произнес кто-то в пустой серой комнате голосом ее покойной бабки.

По голому полу зачавкали подошвы ее резиновых тапок. Потом хрустнули пружины матраса ее деревянной кровати. Зашуршал накрахмаленный пододеяльник. Бабка улеглась в постель.

— Скоро раздождится, потом завьюжит, — не унималась бабка, ворча в подушку. — Холода... Грядут холода... Дед-то не переживет. Да и нечего ему там, с вами, нечего делать...

Одна из пружин под ее старым крупным телом взвизгнула особенно остро и противно. Потом еще и еще раз. Бабка будто нарочно решила извести ее, покачиваясь на скрипучей койке. Надо было прикрикнуть на нее. Иначе это никогда не закончится. Бабка всегда была вредной.

Саше пришлось открыть глаза.

Будильник! Конечно, это был будильник. Больше-то нечему было так противно ныть. Той старой скрипучей кровати давно уже не было. Как не было в живых и бабки. Она померла семь лет назад в январскую стужу.

— Даже помереть не могла как надо, — ворчал дед, отворачивая ото всех заплаканное несчастное лицо. — Людям-то теперь как землю ковырять! Морозы-то какие! Эх, Лия, Лия. Не могла подождать до тепла? Вот вечно ты назло всем все делаешь...

Убедить деда в том, что на все воля Божья, что его жена Лия прожила много дольше, чем ей отводили врачи, никто не взялся. Он когда-то для себя решил, что Лийка должна его пережить, и все. А там вы как хотите. А что у его жены было очень больное сердце, изношенный никотином организм, израненная сиротством единственной внучки душа, что не могло подарить ей лишних лет, он как данность принимать не хотел.

— Она должна была меня отволочить в ящике, Сашка. Она... — горевал он потом долгих два года. — Что мне вот теперь, а? На стены тут выть?! Ты еще вот съезжаешь...

Саша протянула с дедом еще год после этого, потом все же съехала на квартиру, которую купила по соседству. Все следующие четыре года она дважды в день ему звонила, через день навещала. А воскресенье и вовсе проводила весь день с ним, все чаще за городом. И ничего, дед смирился. С годами повеселел, начал даже засматриваться на одиноких соседок. Но так, не по-серьезному, просто для общения, подчеркивал он.

— Лия хоть и была стервой... Матерой стервой, Сашка! Такие теперь не рождаются, — говорил он, и старое лицо его мгновенно превращалось в горестную маску. — Но заменить ее мне никто не сможет. Никто! Никогда! Скоро семь лет, как нет ее, а она мне почти каждую ночь снится. Тебе-то, Сашка, она хоть снится?..

Саше бабка никогда не снилась. И Саша за это была ей крайне признательна. С бабкой они не очень-то ладили. Та была придирой и ворчуньей. Вечно искала изъяны в Сашином воспитании, манерах и внешности. Хотя сама ее и воспитывала, прививала манеры и учила, как себя преподать. Противной она была. Не то что дед. Милый, мягкий, покладистый человек. Грешно признаваться, но Саша втайне радовалась, что первой ушла бабка. Случись по-другому, кто знает, как бы все сложилось. И она, если честно, уже стала забывать ее. Как она выглядит, как ходит, как говорит.

И вдруг этот сон! Первый за семь лет!

Бабкин голос. Ее поступь в отвратительных резиновых шлепанцах, звонко шлепающих по полу и пяткам. Скрип пружин ее кровати, хруст накрахмаленного постельного белья.

Что она говорила? Что-то говорила ведь точно. Что-то нехорошее, противное. Что-то про деда.

Завьюжит... Заходолает... Дед не переживет...

Ужас какой! Только не это! Только не теперь! Он ей сейчас так нужен! Особенно сейчас!

Саша сбросила с себя толстое одеяло, соскочила с кровати и, подойдя к окну, рванула шторы в разные стороны. Прильнула носом к стеклу, рассматривая улицу и стену дома, в котором жил ее дед.

Все было как всегда. Серая бетонная стена стояла на месте, не рухнула. Ровным рядом, нависая низкими ветками над бордюрным камнем, стояли притихшие от безветрия ивы. На подъездной дорожке к дому деда, как всегда, раскорячилась «Газель» Витьки Ломова — хозяина маленького дежурного магазинчика. Машину разгружали, в магазин таскали лотки с хлебом, упаковки с пряниками, печеньем, пакеты с макаронами. Значит, сегодня четверг. Печенье с пряниками всегда привозили по четвергам. По вторникам и пятницам — молочку и колбасу. По понедельникам то, чего не хватило в выходные. Все по графику, все четко, размеренно. Дни недели можно было сверять по поставкам в ломовский магазин. Тошно, конечно, что он постоянно дорогу перекрывает. Но не скандалить же было с ним всякий раз из-за этого.

— Сашка, тебе от своего подъезда до подъезда деда — тридцать пять шагов, — возмущался Виктор, когда она пыталась его призвать к порядку. — Ты быстрее дойдешь, чем тачку со стоянки выгонишь.

Это, конечно, было правдой, дойти было быстрее. Но дело принципа, ведь так?

— Вся вот ты в бабку свою, противная, — ворчал он ей в спину, когда она все же заставляла переставить «Газель», угрожая ему штрафами. — Той тоже вечно все мешало!

Бабке при жизни и правда мешало все. Свет уличных фонарей мешал спать по ночам. Если фонари не горели, темнота сокрушала могильная. Мешали соседи: топали над головой, орали в подъезде, хлопали дверями. Мешала назойливая почтальонша, навязывающая пачки лаврового листа и упаковки молотого перца. Мешала подъездная уборщица, залившая лестницу водой. Мешал шум дождя и ветра. Мешала иногда и Саша со своей подростковой необузданной веселостью и чрезвычайно посерьезневшей юностью. Теперь вот получается, что ей помешал дед на этом свете. Она решила его призвать к себе до холодов.

Саша именно так поняла странный сон, первый и единственный с участием бабки за минувшие семь лет. И сделалось неуютно и холодно, хотя за окнами золотился солнцем сентябрь.

Начало сентября было тем временем года, в котором она чувствовала себя особенно комфортно. Солнце не палило, а грело. Ветер случался редко, а если и случался, то сыпал под ноги дождем золотой листвы, и ей это очень нравилось. Вечерами в пригородных поселках жгли костры, и она с удовольствием вдыхала осторожно наплывающий на город запах сожженной картофельной ботвы и сухостоя.

Она любила сентябрь всегда, но не сегодня. Сегодня, утром четверга, утром нерабочего четверга ей было противно и тошно. И из-за того, что у нее произошло на работе, откуда ее в срочном порядке выпроводили в отпуск. И из-за сна этого дурацкого.

— Дед? — Саша снова завалилась на кровать с телефонной трубкой — спешить было некуда. — Что делаешь?

— Здравствуй для начала, — отозвался тот ворчливо. — Как бабка твоя, Сашка! Та вечно ни здрасте, ни до свидания!

— Она приснилась мне сегодня, дед, — вдруг призналась Саша, рассматривая кусок яркого голубого неба в незашторенном окне.

— Да ну! — удивился он. Голос его дрогнул волнением. — И что было в твоем этом сне?

— Да ничего особенного. Ходила она по комнате, ворчала, — соврала Саша.

— А чего ворчала-то? — беспокойным голосом спросил дед. — Может, на нас на что-то обижается, Сашок, нет? Может, могилку надо поправить? Ничего такого не было?

— Да нет. Погода не нравилась, скоро, говорит, захолодает.

— Да-а-а, холод она не любила, — дед вздохнул. — А потом взяла и в холод-то и померла. Ладно... У тебя там что с работой? Что думаешь после отпуска делать? Осталось-то две недели всего. Снова вернешься в эту... в этот...

Дед ругаться не любил и всегда подолгу подыскивал нужные слова.

— Дед, не знаю, — Саша вздохнула и зажмурилась. — Уйду, признаю поражение. Как бы соглашусь, что это я виновата!

— Не уйдешь, тебя заставят признать это со временем. Тебе не дадут там жить, Сашка. — Дед рассердился: — Не надо, девочка. Не стоит оно того. Не стоит тратить жизнь, нервы на доказательства. И было бы из-за чего!

Правильнее, из-за кого, хотелось ей поправить деда. Но она промолчала.

— Весь этот сыр-бор выеденного яйца не стоит, девочка, — продолжил учить ее уму-разуму дед. — Проблема надуманная! История неприятная, конечно, но... Но не стоит это того, поверь. Не стоит распылять себя на это.

— Понятно, — слабым голосом промямлила она.

— Понятно ей! — прикрикнул дед. — Чего-то не договариваешь? Что-то скрыла от меня тем вечером, так?

— Нет, — не совсем уверенно ответила Саша. — Все рассказала как было.

— Что пропавший диск с информацией, которую берегли от конкурентов, нашли в твоей сумочке, так? Что в твою причастность к краже почти никто не верит? Что почти все считают это инсценировкой? Как это принято сейчас у вас говорить — подставой. Все так было?

— Так. Ладно, дед, я подумаю, может, после отпуска и не вернусь туда, — пообещала Саша: разговор надо было срочно сворачивать, пока она не расплакалась.

— Но что-то ты мне все же так и недоговорила, — вдруг сделал дед вывод. И после паузы, наполненной его задумчивым пыхтением, обронил: — Все дело в каком-то молодом человеке, так? Кого-то оплакивает твое бедное сердечко, Сашка, так?

— Дед, не начинай! — взмолилась она. — Давай, пока-пока. Завтра увидимся.

— А чего не сегодня? Знаю-знаю, завтра наш день. Но ты же в отпуске, Сашок. Чего не сегодня?

— Может, и забегу, — пообещала она, точно зная, что не пойдет сегодня к деду.

Если пойдет сегодня, дед точно вернется к этому разговору. И тогда точно вместе со слезами выудит из нее правду. А если она ему все расскажет, то это может иметь необратимые последствия. Дед тогда непременно, надев свой военный китель с наградами, пойдет с визитом к...

Тсс, не надо ворошить воспоминания. Не стоит даже думать о том, из-за кого она теперь так страдает. Не стоит...

ГЛАВА 2

— Собери всех!

Узловатый, с коротким некрасивым ногтем, палец Соседовой соскользнул с клавиши. Догадливая секретарша, поняв, что у Аллы Юрьевны опять нелады с новым аппаратом для внутренней связи, заглянула в кабинет:

— Алла Юрьевна, я правильно поняла, у нас совещание?

— Да, правильно!

Соседова неприязненно осмотрела ладную фигурку девушки. Та ухитрялась выглядеть на тысячу долларов в грошовом платьишке и дешевых туфлях без каблуков. Она вот лично никогда так не выглядела. Даже в лучшие свои годы. Теперь не следовало и стараться. Теперь ей сорок девять. Закат! Закат бабьего века! А рассветать еще и не рассветало.

— Что еще?!

Соседова старательно выгнула левую бровь. Это была мимика крайнего неудовольствия, к этому подчиненные были приучены. Секретарша растворилась, успев пробормотать, что кофе будет готов через минуту.

Соседова всегда пила кофе перед совещанием. Варился полный кофейник на четыре чашки. Туда же сразу засыпался сахар и доливались четыре чайные ложки сливок, очень жирных, очень калорийных. Две чашки Алла Юрьевна выпивала до совещания. Одну в процессе. И последнюю уже после того, как за последним сотрудником закрывалась дверь. Таков был ритуал. Сегодня она ему немного изменит. Сегодня на совещание ей пить кофе не придется. Слишком напряженными будут сегодня дебаты. Сегодня она немного изменит правила игры. Она не станет говорить с каждым наедине. Сегодня она постарается столкнуть всех своих подчиненных лбами. Пускай они разгневаются, запсихуют, перестанут быть сдержанными, начнут орать. И вот тогда-то она — матерая бизнесменша, мудрая из мудрых женщина — точно сможет выловить из всего этого гневного, эмоционального ора нечто для себя полезное.

Она не позволит добить себя! Пусть бабьему веку ее закат вот-вот случится. Закатиться делу всей ее жизни она не позволит! Нет!

Через пару минут, не обманув, Соня внесла поднос с кофейником и крохотной кофейной чашкой. Не глядя на работодательницу, пристроила поднос на край стола и, пятясь, вышла из кабинета. Она снова угадала, что именно сейчас видеть ее Алле Юрьевне особенно неприятно. Угораздило же надеть утром новое платьишко и туфельки в тон!

Соня уселась на свое место за высокой стойкой. Задумчиво уставилась в монитор, разлинованный реестровой таблицей. И сильно вздрогнула, когда на клавиатуру легла кустовая розочка с белыми цветочками.

— Прекрасно выглядите, Софья, — гортанным голосом констатировал заместитель Соседовой — Геннадий Степанович Савельев. Невысокий несимпатичный мужичок хилого телосложения. — Так держать!

— Спасибо.

Соня кисло улыбнулась и невольно покосилась на дверь. Не хватало еще, чтобы Соседова захватила ее еще и с розой в руках. Шипеть потом будет неделю.

— Что там? — тут же настороженно вытянулся Савельев. — Все так серьезно?

— Будто бы да. А там кто знает! — трагическим шепотом ответила девушка.

— А повестка все та же? — Савельев нервно прошелся пятерней по светлым редким волосам.

— Конечно! Она больше ни о чем ни думать, ни слышать не желает. Я сегодня случайно подслушала ее разговор с кем-то по телефону и...

— О, меня уже опередили!

Савельев и Соня вздрогнули. На пороге приемной стоял главный бухгалтер Заломов Василий Васильевич и с подозрением на них посматривал. Был он худ телом, но мощен духом. И еще подозрителен и весьма неприятен внешне, и наверное, именно поэтому его все боялись, а кто не боялся, все равно избегал. Как досталось от него бедной Саше Воронцовой! Соня до сих пор передергивалась, стоило вспомнить.

— А я-то тоже к вам, Соня, с розами. — Заломов противно хихикнул. — Тоже, знаете ли, эдакий подхалимаж. Тоже хочу знать, что за повестка дня. Никому же ничего... Все жам-жам!

На клавиатуру легла еще одна ветка кустовой белоснежной розы. «Может, они один букет разорили? — подумала Соня рассеянно. — Если сейчас кто-то еще явится точно с такой же веткой, то, значит, один букет на всех делили».

Больше цветов не было. Народ прибывал, теснясь в приемной. Вполголоса переговаривались.

14

Обсуждали, догадывались, трусили. Многие хмурились, боясь, что гнев Соседовой ненароком коснется и их. Некоторые откровенно радовались, что гнева того избежать могут в силу непричастности. И совершенно не сочувствовали соседу. Некоторые настороженно молчали, рассматривая пол под ногами либо стены поверх чужих голов. К последним относился и Александр Горячев. Он как зашел, как встал слева от двери, подперев спиной стену, так не шевельнулся больше ни разу. Это Соня точно знала, потому что не спускала с него глаз. Потому что он ей очень-очень нравился. Она даже, дрянь бессовестная, тихонько радовалась, когда Сашу Воронцову погнали в отпуск из-за скандальной истории со злополучным диском. Слишком уж у них с Горячевым стремительно начал развиваться роман. Их любовная история семимильными шагами двигалась в направлении логического ее завершения в одном из отделов записи актов гражданского состояния.

— Они точно поженятся, — предполагали одни.

— Осенью точно, — шептались другие.

— Да он ей уже предложение сделал!

— Да ладно?!

— Точно, я знаю...

Соня страдала от всех этих разговоров, потому что Горячев ей очень-очень нравился. А Саша Воронцова — нет.

В новом аппарате внутренней связи скрипнуло, громыхнуло, и неприятный голос Соседовой приказал всем войти в кабинет.

— Итак, господа! — Алла Юрьевна обвела всех тяжелым взглядом. Он казался особенно тяжелым из-за набрякших верхних и нижних век, а также от неумелого макияжа, а также по причине ее дурного норова и настроения. — У нас проблема...

Все затихли. Многие из присутствующих втянули головы в плечи и опустили глаза. Смотреть на «соседку», как за глаза они все называли начальницу, когда она пребывала в таком дурном расположении духа, было просто невыносимо.

— У нас завелась крыса, — продолжила Алла Юрьевна. — Все помнят историю с Воронцовой?

Как по команде, все головы качнулись вверх-вниз.

— Так вот, история эта не закончена.

— Она что же, продолжает продавать наши секреты?! — преувеличенно фальшиво возмутился Савельев, тут же поймал на себе неприязненный взгляд Соседовой и заткнулся.

— Эта история не закончена, потому что все в ней остается для меня неясным, — тихо, но очень внятно продолжила говорить Алла Юрьевна.

— Что же тут неясного? — обеспокоенно воскликнул Заломов. — Девица — сирота. Захотелось подбить деньжат. И неплохих деньжат. Почему не воспользоваться безалаберностью некоторых сотрудников? Почему не выкрасть информацию, за которую наши конкуренты заплатят? Тем более что сотрудники эти, мягко говоря, пали жертвой ее чар!

Все головы, как по команде, повернулись в сторону Горячева. Тот головы не поднял. Уши и щеки его сделались багровыми.

— Если позволите, я продолжу, — с издевкой произнесла Алла Юрьевна. Головы снова развернулись на нее. — Так вот... Все в этой истории мне не нравится. Буквально все! И то, что случилось это накануне нашего слияния с фирмой «Мари». И то, что случилось это накануне крупнейшей сделки, сами знаете с кем. И то... как Воронцова легко попалась, мне не нравится это особенно.

Голова Горячева впервые приподнялась. Взгляд, обращенный на Соседову, был полон надежды.

— Итак, давайте начнем разбирательство сначала. Вот тут у меня, — палец Соседовой, некрасивый, узловатый, с пожелтевшим от никотина ногтем, уперся в тонкую кожаную папку, — есть некая информация, которая свидетельствует в пользу версии о непричастности Воронцовой к похищению наших секретов. И есть также информация, свидетельствующая против кое-кого... В общем, крыса среди вас сейчас, господа.

В папке у нее ни черта не было. Она блефовала. Но никто, кроме нее, об этом не знал. Никто! И та крыса, что принялась изнутри подтачивать остов ее благополучия, не знала об этом тоже. Поэтому тут же занервничала. Тут же забегала глазками по стенам, потолку, по лицам всех присутствующих.

Так она и знала! Почему-то сразу подумала на этого человека. Потому и сомневалась в виновности наивной Воронцовой, так бездарно попавшейся в ловко расставленные сети.

Ладно, надо будет завтра ей позвонить и успокоить. Пускай с легкой душой догуливает свой отпуск и выходит на работу. К тому времени от мерзкой крысы в их офисе не останется и следа. Н-да...

Легкий шелест тихого возмущения между тем нарастал. Лица раскраснелись, прически сбились, узлы галстуков были распущены. Народ разнервничался, распсиховался, как она и предполагала, и уже готов был начать показывать друг на друга пальцем, когда она неожиданно прервала совещание.

— Как это — все?! — возмутился Савельев, ее первый зам. — Что это вы, Алла Юрьевна, камень кинули и даже не даете рассмотреть круги! Уж окажите любезность, назовите подозреваемого!

— Да, назовите! — дерзко потребовал Заломов, уставившись на нее глазами ядовитой змеи. — Чего дразнить-то?! Не дети же!

— Завтра, господа. Завтра этим займутся профессионалы.

— Полиция! — ахнул кто-то едва слышно.

Шелест пошел гулять по губам. Алла удовлетворенно мурлыкала про себя. Это было то, что нужно. Это было как раз то, чего она ждала.

Крыса побледнела! Крыса занервничала! Крыса принялась сразу кому-то слать сообщения с мобильного!

— Да, господа, не стану скрывать. Я решила завтра пригласить к нам полицию, так как дело касается оборонного заказа. Сами понимаете, это... это не шутки, господа. Ну а теперь прошу вас покинуть мой кабинет.

Вопреки ожиданиям, народ расходился неохотно. Все что-то толпились. Мешали ее разговору с Савельевым, потом оттеснили Заломова, когда он пытался ей что-то сказать. Каждый, буквально каждый норовил засвидетельствовать ей свое почтение, заискивающе улыбался, косясь на ее палец, все еще прижимавший кнопку черной кожаной папки. Каждый боялся, что там его фамилия!

— Попрошу очистить мой кабинет! — Ей пришлось прикрикнуть — так надоел подобострастный гвалт. — Всем до завтра!

Из кабинета, успев накинуть легкий шелковый плащ, она выходила в сопровождении Савельева, Заломова и Горячева. Их упрямое желание остаться с ней с глазу на глаз ни к чему не привело. Аудиенция ни с кем из них не состоялась.

— Вас сегодня уже не будет? — уточнила Соня, поднимаясь с места.

— Нет, можешь идти, — кивнула ей Соседова и вышла из приемной. И крикнула уже из коридора: — Завтра будь пораньше. Очень важный день!

— Хорошо, — послушно кивнула Соня, мысленно послав Аллу Юрьевну к черту.

На завтра на восемь утра она записалась на маникюр. Придется переносить. Она дождалась, когда толпа схлынет. Понаблюдала через окно, как начальница неуклюже усаживается в свою громадную, как вагон, машину. Сходила в кабинет, забрала кофейник с чашкой. Удивилась тому, что в кофейнике осталось еще на чашку кофе. Вылила себе остатки, уселась на край своего стола и, беспечно болтая ножкой, набрала номер своего маникюрного салона.

— Сонечка, ну какие проблемы? — притворно обиделась ее маникюрша. — Заезжайте сейчас. Я задержусь ненадолго. Вы же мой постоянный клиент!

— Отлично, бегу!

Она отключила компьютер, прибрала на столе. За шкафом вымыла в крохотной раковине чашку и кофейник, убрала посуду на полку в шкафу.

Накинула легкую курточку, переобула туфельки, взяла сумочку, погасила свет в приемной и пошла на улицу.

На стоянке осталось только две машины. Ее и охранника дяди Володи. Тот от скуки пошел ее проводить, без конца рассказывая про новорожденную внучку. Соня вежливо улыбалась, время от времени поддакивая, хотя дядя Володя заболтал ее до тошноты.

— Всего доброго, — простилась с ним она, прыгнула в свою малолитражку и тут же стартанула, боясь, что ее стошнит прямо на лаковые носы туфель дяди Володи.

Сонечка, невзирая на сентябрьскую прохладу, пониже опустила стекло, надеясь, что свежий воздух и приятные мысли о Саше Горячеве отвлекут ее от новорожденной внучки дяди Володи, избавят ее от раздражения и тошноты, которая не хотела отпускать.

— Чертовщина какая-то... — пробормотала Сонечка, дотянулась до бутылки с минеральной водой на заднем сиденье, сделала пару глубоких глотков.

Она ловко втиснулась между громадным джипом и «Маздой» синего цвета на стоянке перед салоном. Выбралась на улицу, поражаясь тому, какими вялыми кажутся ноги. Взяла сумочку, заперла машину и пошла к ступенькам.

Внутри посетителей было немало, но ее маникюрша уже ждала.

— Сонечка, проходите, пожалуйста, — та приветливо улыбнулась и замахала руками. — Курточку не снимайте, разденетесь у меня.

Но Соня все равно стащила курточку: ей показалось, что в салоне очень жарко. Осторожно переступая через чужие, вытянутые в проходе, ноги, она прошла к маникюрше, отдала ей курточку, сумку, села на привычное место и тут же запросила воды.

— Что-то мне душно, — жалко улыбнулась она и чуть прикрыла глаза.

Маникюрша показалась ей громадным чудовищем с дико вытаращенными глазами и неестественно вытянутым лицом.

— Соня, Сонечка, — тронула ее за плечо через пару минут девушка — она протягивала ей пластиковый стаканчик с ледяной водой. — Вам нехорошо? Соня! Господи, да что же это?! Соня! Да ответьте же!

Соня сидела со сгорбленной спиной, уткнувшись лицом в сложенные на столе руки, и не отвечала. Девушка осторожно толкнула ее раз, другой, тело Сони лишь слабо качнулось, голова съехала с рук, и Соня со стуком ударилась лбом о стол.

— Напилась она, что ли?! — возмущенно прошипела маникюрша и бросилась бегом к начальнице.

Они вместе быстро вернулись и принялись уже вдвоем расталкивать бедную Соню, так нелепо отключившуюся прямо за маникюрным столом. Первой опомнилась начальница. Она подняла вверх руку, останавливая маникюршу. Просунула два пальца под Сонин подбородок и с силой прижала их к ее шее.

— Она мертва! — прошипела она, поворачиваясь к застывшей позади нее девушке. — Вызывай полицию, не стой столбом! Только тихо, без шума и истерик! Поняла меня?!

— Ага! Щас...

Маникюршу чуть потряхивало. Она не могла поверить, что Сонечка, еще минуту назад просившая воды, вдруг умерла! И где?! Прямо за ее рабочим столом! Как же она теперь сможет тут работать?! Как сможет замачивать в чашке чьи-то пальчики, зная, что на этом месте умер человек? И хороший человек-то, не гадкий! Что же это такое делается, господи?!

— Ты все еще здесь?! — Начальница приблизила к остолбеневшей девушке бледное лицо. — Дуй быстрее ко мне в кабинет и вызывай полицию!

— А может... может, лучше «Скорую»? — Девушка всхлипнула, тут же зажимая рот ладонью, чтобы не заорать и не перепугать посетителей.

— Нет, «Скорую» они сами вызовут. Но она уже не понадобится. Чудится мне, Софью отравили. Видишь, пена вокруг рта? Она успела выпить твоей воды?

— Нет-нет, я пришла, а она уже вот так сидит.

— Это хорошо, что она воду не пила. И не говори, что она воды просила. Убери стакан! — приказала начальница. — И иди уже звонить!

Савельев еле доехал до дома, так ему сделалось худо. И тошнота, того гляди вырвет, но с этим он справился, тут же сунув под язык пару мятных леденцов. Не хватало еще изгадить обивку собственного автомобиля — он его пару месяцев назад как купил. И живот закрутило так, хоть в придорожные кусты садись. И перед глазами вдруг все начало плыть.

Хорошо, доехал — успел.

— Уф, слава богу! — выдохнул он, с благодарностью воздевая глаза к небу, вытаскивая ключ из замка зажигания. — Доехал...

Его квартира располагалась на втором этаже элитной трехэтажки почти в самом центре города. Большая квартира, светлая, красивая. Правда, пустая. Не в том смысле, что без мебели. А в том, что без обитателей.

Он был женат. Конечно, был. Ему же сорок пять, к этому возрасту любой мужчина имеет какое-никакое прошлое. И он его имел. Неудачный брак с истеричкой. Двое сыновей, не желающих идти с ним на контакт, но дико желающих трясти с него деньги. Были еще и девушки, посещавшие его дом после развода. Много было разных девушек. И красивых, и не очень. Он все Сонечку хотел к себе затащить — секретаршу этой стервы Соседовой. Но она очень стойко держала оборону. Все время делала вид, что не понимает его более чем откровенных намеков.

Ладно, Сонечка никуда от него не денется. Сейчас главное — добраться до квартиры и улечься поудобнее в кровать, поджав повыше коленки. Ему все время это помогало, когда случалось желудочное недомогание.

Вялыми руками Савельев взял с заднего сиденья кожаный пижонистый портфель, запер машину и осторожно двинулся к своему подъезду. Он шел так, будто боялся себя растрясти, будто боялся, что вот-вот оступится и упадет лицом в пыль и не встанет уже никогда, так ему было худо.

— Добрый вечер, Геннадий Степанович, — вежливо поздоровалась с ним молодуха с первого этажа, важно величавшая себя Гретой и утверждающая, что она немка.

На самом деле она была Галей и родилась в подмосковном селе, он специально узнавал. Важничала просто, напускала дыму, чтобы обзавестись приличным мужем, а попутно и состоянием. На него она точно имела виды. С чего тогда уже трижды напрашивалась к нему в гости и угощала его домашним печеньем? Имеет виды, точно имеет. Но Савельеву она не нравилась, слишком сисястая, слишком мясистая. Нет, ему нравились такие девушки, как Сонечка — высокие, стройные, с маленькой тугой попкой и аккуратной грудкой с крохотными сосками. Вот если бы Сонечка...

— Геннадий Степанович, что с вами? — завизжал истошно где-то над его головой голос Греты-Гали. — Что с вами? «Скорую»! Вызовите срочно «Скорую»!

«Кого она об этом просит, интересно?.. — подумал он вяло, рассматривая пыльный асфальт, странным образом оказавшийся прямо у него перед глазами. — У нее же в руках был телефон, когда они поравнялись. Почему самой не позвонить? Зачем орать и призывать кого-то к действию, если все в твоих руках? Бестолковая глупая курица! И печенье ее не вкусное. И слишком много на ее костях мяса, слишком много. То ли дело Сонечка!»

— Геннадий Степанович?

Сонечка! Господи! Неужели?! Откуда она, интересно, здесь взялась — возле его дома?! Чудеса! Опустилась перед ним на коленки, смотрит жалостливо, гладит по лбу, зовет по имени. А потом вдруг наклонила свое милое личико, тронула своими губами мочку его уха и тихо прошептала:

— Нас отравили с вами, Геннадий Степанович. Как думаете, за что?..

ГЛАВА 3

— Иван Сергеевич, Валентина Сергеевна, я вас категорически приветствую.

Фальшивая улыбка Филонова вряд ли смогла бы кого-то обмануть. Супружескую пару Лопушиных тем более. Ясно как божий день, что этот юный проныра, как называла его Валечка, не захочет их выслушать. Постарается как можно быстрее выставить их вон и вопроса не решит. А вопрос стоял остро! Более чем: зима на носу, а у них не меняется отопление. Хотя заявление лежит уже полгода в папке этого юного хлыща — так его Валечка тоже называла.

— Что привело вас в мою скромную обитель? — Филонов обвел руками тесный, но богато отремонтированный и обставленный кабинет.

— Евгений Леонидович, вы же знаете, что у нас проблема с отоплением. — Валечка недовольно поджала жухлые губы, помолчала для порядка, потом продолжила: — Мы уже полгода назад написали заявление. А воз и ныне там!

— Заявление, заявление, пыф-пыф-пыф, — запыхтел Филонов, принявшись рыться в папке с заявлениями.

Было, конечно, было от них заявление. На бесплатный ремонт отопительной системы во всей (!) квартире. Но кто станет заниматься этим бесплатным ремонтом?! Кому это надо, если у него все сотрудники на сдельщине. Станут ребята пахать на Лопушиных — заплатят по минималке. Это им надо? И ему не надо. У него тоже зарплата зависит от общей прибыли. Плюс левак. Взяли бы хоть по капле кинули ребятам и ему в том числе — давно бы уже с отоплением новым были. А так...

— Вот ваше заявление, — достал лист бумаги с самого низа папки Филонов.

— На дату посмотрите! — потребовала Валечка.

— Вижу дату. И что? — Все, его терпение заканчивалось.

— А то, что мы имеем право на бесплатный ремонт. Имеем! — вдруг тонко взвизгнула Лопушина. — Давно имеем. А уже полгода прошло! А вы не чешетесь!

— Чешется тот, кто не моется, — огрызнулся Филонов. И снова засунул бумагу под самый низ. — А я просто не могу оказать вам бесплатную услугу, и все.

— То есть вы нам отказываете??? — зашипела Валечка и ткнула кулаком в коленку молчаливо сидевшего мужа. — Ванечка, скажи ему!!!

— А что я могу ему сказать? — Тот лениво поднял и опустил покатые плечи, непотребно обросшие за последний год жиром. Поднял на Филонова ледяной взгляд: — Что он скот? Так он и сам об этом знает.

— Что-о-о? — Филонов поперхнулся. Его взгляд лихорадочно забегал по кабинету. Он срывался! Ему нельзя! Будут проблемы! Но, черт возьми, как же хотелось! Как же хотелось снова...

Будь у него сейчас ствол под рукой, он бы точно разрядил этому жирному козлу его в коленку. Будь у него сейчас воля и не будь в прошлом трех предупреждений от ментов и еще нескольких от братвы, он бы обхватил эту жирную дряблую шею руками и начал давить, давить, давить, пока этот старый козел не обмочился бы.

Но нельзя! Он теперь уважаемый человек. Начальник! Это статус, который ему следовало беречь. Иначе братва не поймет. Иначе зачем он тут сидит? Для того, чтобы влететь по-крупному, или для того, чтобы стеречь всякий старый и пьющий одинокий сброд, не имеющий наследников по жилью? Его сюда за этим определили, между прочим. С этой целью он тут и сидит. Ну и еще чтобы он не сел в другое место — уже за решетку.

— Скот ты, Женя, и еще какой скот, — продолжил говорить тихо и монотонно Лопушин Иван Сергеевич, не сводя с переносицы Филонова ледяного взгляда. — Я наводил о тебе справки. И знаю, что за знакомые у тебя есть. Знаю приблизительно, скольких денег тебе стоило занять это место. И догадываюсь, зачем тебе это место. В тридцатом доме вот-вот старуха помрет, наследников нет, дед ее пьющий. Не удивлюсь, если дед отправится следом за ней, переписав свою квартирку на твоих друзей-бандитов. В двадцать седьмом доме-то схема сработала, так? Кому досталась трешка? Твоему корешу Степану Мазиле?!

Вот тут Филонов сам чуть не обмочился. Ему сделалось так страшно, так безумно страшно, что этот старый козел возьмет их и всех заложит, что он взмок.

— Ссышь, Женя? — тихим, вполне миролюбивым тоном спросил Лопушин и кивнул в подтверждение своего вопроса. — Ты, Женя, ссышь. И правильно, между прочим, делаешь. Но мы не в претензиях с супругой. Все, что нам надо, — это поменять отопление в квартире... Бесплатно.

— Хорошо, — кивнул Филонов через минуту, сглотнул судорожно и снова кивнул. — Завтра рабочие будут у вас. В девять утра. Будьте дома. Все на этом?

Супруги поднялись, шагнули к двери. Но тут Иван Сергеевич вдруг спохватился:

— Да, Женя, забыл сказать. Радиаторы должны быть алюминиевыми.

— Какие радиаторы?! Наша же только установка! И стояки! Вся разводка ваша! — немного повысил голос Филонов, решив, что старый козел окончательно оборзел и его надо, надо приструнить, даже с учетом страха и его угроз.

— Алюминиевыми должны быть радиаторы, Женя, — утробно хохотнул Лопушин. — И... Степке Мазиле привет большущий. Идем, Валечка.

Он взял супругу за руку и вывел из кабинета. Но прежде чем окончательно скрыться в коридоре, вдруг похвалил:

— А вот за то, что подъезд моется каждый день, за то спасибо. Хоть на уборщицах не экономите, за то спасибо...

Они ушли.

Филонов еще пару минут сидел в оцепенении, а потом принялся швырять в дверь все, что попадалось ему под руку. Папки, авторучки, карандаши, степлеры, дырокол, пачку бумаги. Остановился, когда в руках оказался мобильник. И то не швырнул его потому, что он вдруг зазвонил.

— Да! — заорал он, нажав на кнопку.

— Чего орешь-то? — поинтересовался Степка Мазила.

— Ничего, — сбавил сразу обороты Филонов. — Вывели тут...

— Что хотят? Налоговая?

— Если бы! Пришли тут божьи одуванчики ко мне, семейная парочка, блин... — Филонов минут пять ругался матом. — Просят отопление бесплатно им поменять. Я — в отказ, не положено у нас по уставу.

— И че? — Степка слушал без особого интереса. — Послал бы.

— Так послал.

— И че?

— А то! Дед как начал мне тут говорить и про тридцатый дом, и про двадцать седьмой, и... и про тебя, Степа.

Мазила минуту молчал, потом вкрадчиво так спрашивает:

— Ты че, паскуда, где спьяну разболтал?!

— Офигел, что ли? Я не самоубийца!

— Так откуда эта старая тварь обо всем знает?! Откуда на эту старую тварь снизошло прозрение, Жэка?!

— А я знаю! Где-то засветились. Бабки во дворе, может, трепались. Бабки, они ведь все знают.

— Н-да... — Степа молчал недолго и попросил вдруг: — Ты мне адресок-то ихний, этого козла, шепни, Жэка.

— Это еще зачем?! — Филонов обеспокоился.

— Так, для порядка. Узнаю, что за божьи одуванчики там справки о нас наводят. Может, и они в нашу схему пристроятся? — И, заржав пожеребячьи, Степа отключился.

Филонов просидел еще какое-то время без движения, мысленно сочиняя историю оставшейся жизни Лопушиных по Степкиному раскладу. История выходила криминальная. Это печалило. Потом со вздохом все же он признал, что другого выхода у них просто-напросто нет. Эти Лопушины обнаглеют просто со временем и станут шантажировать их без конца. Вишь, уже и радиаторы им за свой счет покупай! Это уже сверх наглости. Это уже он никак не спишет.

Он достал из стола пузырек корвалола и принялся интенсивно им трясти над крохотным стаканчиком...

— Ты идиот! — зашипела на мужа Валечка, стоило им выбраться на улицу из душного жэковского коридора. — Ты просто идиот, Ванечка!

— В смысле?

Потяжелевший за последний год Иван Сергеевич медленно повернулся в ее сторону всем телом. Смерил супругу — тоже не молодеющую — с головы до ног неприязненным взглядом. Особое внимание уделил ее ногам с выпирающими во все стороны вздувшимися венами. Долго смотрел, пристально, заведомо зная, как страдает она от отвратительного вида своих икр.

Валентина взгляд уловила, все поняла, вспыхнула до корней седых волос.

— Сволота! Гнида! — принялась она шептать ругательства, тем не менее все же продолжая удерживать своего мужа за руку, когда шла с ним от ЖЭКа в сторону дома. — Как же я тебя ненавижу!

— Я тебя тоже, — коротко кивнул он, не отнимая своей руки у нее.

— Когда же ты сдохнешь наконец? Когда? Ненавижу тебя, гнида мерзкая!

— Я тоже, — снова повторил он, улыбнувшись одними губами ее раскрасневшемуся гневному лицу. — Я тоже дико ненавижу тебя, Валечка. И тоже жду твоей смерти. А ты? Ты когда сдохнешь, Валечка?

Какое-то время они шли рука об руку молча, не замечая никого и ничего вокруг. Потом одновременно вкинули головы на молодую уборщицу, выпархивающую из их подъезда с мусорным пакетом в руках. Улыбнулись ей синхронно.

— Уже уходите? — вежливо поинтересовался Ванечка.

— Нет, еще вымыть надо, — кротко ответила женщина. — Пока только мусор собрала. Очень мусорно, очень.

И ушла к контейнерам.

— Мусорно... — задумчиво повторил Ванечка, глядя ей вслед. — Где-то когда-то я уже это слышал.

— Мусорно! — фыркнула супруга. — Так вчерашняя корова этот мусор только по углам лестничных клеток разогнала, и все. Она и убирать-то не убирает. Вот и мусорно. Бардак! Полный бардак у этого Филонова! Кстати...

Они как раз вошли в подъезд. Тяжелая металлическая дверь за ними мягко шлепнулась о притолоку, щелкнул кодовый замок. Их никто не слышал и не видел, можно было не держаться за руки, не улыбаться и не таиться теперь.

— Кстати, Ванечка, — развернулась к мужу всем телом Валентина. — Ты за каким чертом по-

31

требовал радиаторы? У нас же с тобой все куплено! Зачем?!

— Пусть свои ставят. А эти я продам. — Иван медленно пошел к лифту.

— А за какой счет они тебе их поставят? За чей счет-то есть? Ты что, ветеран?!

— Ветеран, может, и что?

— Ух ты! — Она протиснулась мимо него в кабину лифта, уставила на него мелкие злые глазенки. — Ветеран чего, можно полюбопытствовать?

Двери лифта с легким шипением замкнулись. Иван повернулся к жене, процедил сквозь зубы:

— Ветеран, потому что слишком долго тебя терплю. Я ветеран твоей подлости! — закончил Иван со злостью и, вытянув руку, сцепил пальцы на ее шее: — Удавить бы тебя, гниду. Просто взять и удавить.

— Попробуй, — прохрипела она, задергалась, завозилась, царапая ему предплечье, пытаясь вырваться. — Только попробуй, и бумаги обо всех твоих подвигах сразу лягут на стол ментам!

Рука Ивана упала, повиснув плетью вдоль тела. Он отвернулся от жены, уставившись невидящими глазами в расписанную граффити стену лифта.

Они ненавидели друг друга уже давно. С тех самых пор, как закончили с бизнесом, считавшимся семейным. Сразу исчезли хорошие деньги, остались просто деньги. Потом и их не стало, остались гроши. Пенсионные гроши, на которые едва можно было сводить концы с концами, если бы...

Если бы не их запасы, которые они тщательно скрывали друг от друга, они бы давно влачили жалкое существование. А так складывались из месяца в месяц, тщательно следили за расходами, отчитывались друг перед другом с демонстрацией кассовых чеков.

Иван, конечно, подозревал, что супруга накопила финансов куда больше него, так как ему приходилось возить ее на отдых, платить за наряды, украшения. И за это он ее ненавидел.

Валентина подозревала, что она в сравнении с мужем нищая. Он распоряжался всеми средствами, когда бизнес велся на широкую ногу. Он принимал конверты с деньгами. Кто и сколько туда вкладывал, знал только он. И, конечно, накопил куда больше нее. И за это она его тоже ненавидела люто.

— Ладно, ладно, Валечка, — миролюбиво произнес Иван — упоминание о тайных каких-то бумагах всегда вгоняло его в ужас. — Не кипятись. Понервничали, и будет.

— Это ты снова во всем виноват! — надула она вялые синюшные губы. — И так много лишнего сболтнул этому Филонову, и еще обнаглел окончательно с этими радиаторами. Как он тебе их установит?

— Как-нибудь, — неуверенно произнес он и замолчал. Лифт подъезжал к их этажу. На площадке могли быть люди. — Как-нибудь спишет потом.

— Это нас с тобой спишут, дурак! — успела произнести Валечка, прежде чем двери лифта распахнулись.

Из кабины они выбрались сердитыми, надутыми, с невыплеснувшейся злобой. И тут красной тряпкой для них замаячила спина соседа возле мусоропровода. Старик, как всегда, наронял мусора на пол. Уронил скомканную пачку из-под сметаны, пару грязных салфеток, целлофан с какой-то упаковки. И вместо того чтобы собрать все это с чистого, только что вымытого пола, он стоял и растерянно таращился.

— Чего стоишь смотришь, старый пень?! — заорала тут же на него Валечка и ткнула в бок локтем мужа: — Смотри, Ваня, смотри! А мы все думаем, кто же это гадит и гадит возле мусоропровода?! Кто же та свинья, что гадит и гадит?!

Ванечка протянул обе руки, уложил их на старые плечи соседа и с силой придавил, пытаясь заставить нагнуться старика. Тот не поддавался. Настырно стоял, выпрямившись.

— Нагибайся, старая сволочь! Нагибайся! — пыхтел Лопушин, усиливая натиск. — Или заставлю тебя все это сожрать! Будешь жрать сейчас весь этот хлам с пола, слышишь?! Ну!

Колени старика согнулись и с грохотом опустились на бетонный пол. Старик застонал.

— Ну! Чего воешь? Подбирай, гадина! — громко шипела ему на ухо Лопушина, поддевая туфлей мусор старику на коленки. — Подбирай, а то и правда жрать станешь!

Старые морщинистые руки в артритных пятнах сильно тряслись, когда старик подбирал пачку из-под сметаны, грязные салфетки и скомканную упаковку с коленок. Он справился. Он все подобрал, выбросил. Мерзкие люди, напавшие на него сзади, отошли. Отстали. Через минуту щелкнул замок их двери. Они скрылись у себя. А он просидел еще, не помнит сколько, на коленках перед распахнутым зловонным зевом мусоропровода. Может, и умер бы там от боли и унижения. И не поднялся бы никогда. Но спасла молодая женщина, что стала с некоторых пор убирать в их подъезде.

— Не надо так переживать, — попросила она тихо. — Давайте я вам помогу.

Она помогла ему подняться, проводила его до двери.

— Вы не обращайте на них внимания, — уборщица кивнула на дверь напротив. — Они плохие люди. Не обращайте внимания. Берегите себя...

Она помогла ему переступить порог, захлопнула дверь, вскоре он услышал, как чавкает мокрая тряпка по полу возле его двери. Она снова начала убираться. «Чистоплотная девочка», — похвалил он ее про себя. Тут же вспомнил о другой девочке и трясущейся рукой набрал ее номер.

— Дед, ты чего? — переполошилась Саша. — Случилось чего?

— Случилось, — обронил он упавшим до шепота голосом.

— Что?! Сердце, давление, что?!

— Опять эти... эти сволочи... Я уронил немного мусора на пол, только собрался поднять, и тут они, — начал он жаловаться, не замечая, как обильно текут слезы по его морщинистым щекам. — Я еле сдержался. Еле сдержался, Сашок. Если бы не эта девочка, я бы точно разрядил в них всю обойму, Сашок!

— Дед! — прикрикнула на него Саша. — Еще раз такое услышу, заберу твой наградной пистолет, и ты его больше никогда не увидишь. А на этих сволочей надо написать заявление.

— Писал! Никто не обращает внимания на мои жалобы. Никто. Даже ты, — укорил он ее. — А эта вот девочка...

— Что за девочка-то еще? — устало поинтересовалась Саша.

Эпопея с соседями деда длилась не первый месяц. Дед на них без конца жаловался, хотя и не мог привести ни единого доказательства. Саша сама пыталась с ними поговорить. Поговорила. Поговорила и расстроилась. Оказалось, премилые люди. Пригласили к себе, напоили чаем, разговорились. Засиделись допоздна. Рассказала все деду, тот пришел в ярость:

— Ты! Ты мне не веришь?! — кричал он на Сашу. — Ты поверила этим проходимцам, а мне не веришь?! Все, больше не стану тебе никогда жаловаться, раз ты так!..

И не жаловался больше ни разу, хотя война с соседями не прекращалась. Саша об этом точно знала. Соседи докладывали.

— Девочка? — переспросил дед. — Так уборщица из подъезда.

— Люся? — удивилась Саша — той «девочке» было прилично за пятьдесят.

— Да нет, другая. Они у нас тут теперь каждый день убирают. Смены через день.

— А-а, понятно. — Саша помолчала, потом последовал заискивающий вопрос: — Дед, ну ты ведь не станешь ничего такого делать, нет?

— Что именно? — отозвался дед сердито.

— Ну, оружием бряцать, я имею в виду?

— Не буду, — буркнул он через паузу. — Я из ума не выжил еще. Вот бабка бы твоя покойная точно бы их пристрелила. Она бы терпеть не стала этих проходимцев... Что решила с работой?

— Пока ничего. У меня еще две недели, дед. А это четырнадцать дней. Думать есть когда.

— Думать она собралась! — фыркнул дед сердито. — Уходить оттуда надо, Саша. И не просто уходить, а драпать, рвать когти, срываться, как это принято сейчас у вас говорить. Плохо там как-то, нечисто. Это я тебе как кадровый военный говорю. Я тухляк за версту чую. Добром там не кончится, поверь. Добром не кончится...

ГЛАВА 4

— Что это за название-то такое, Сергей, не знаешь? Что это за выверт такой — «АллЮС»? — Генерал глянул на Данилова поверх тонкой оправы очков, неодобрительно ткнул пальцем в сводку происшествий. — Чем она занимается? Фирма эта?

— «АллЮС» — аббревиатура Аллы Юрьевны Соседовой, — объяснил Данилов. Он с раннего утра уже навел справки, заранее зная, что совещаться будут как раз на эту тему. — Занимаются серьезными делами. Недавно получили заказ от оборонки.

— Опа! — Генерал стащил с носа очки, аккуратно сложил дужки. — Что-то с оружием связано?

— Да нет. Нет, конечно. Форма, форма для военнослужащих.

— Слава богу! — выдохнул генерал с облегчением и снова надел очки. — Но тоже, знаешь, серьезная тема.

— Так точно! — поддакнул Данилов. — Более чем! Это огромные деньги!

— И конкуренция, — поднял вверх палец генерал.

— Так точно.

Данилов уже знал, что конкурентами фирмы Соседовой являлись две фирмы, которые не выиграли тендер. Одна была так себе, а вот хозяин второй, по слухам, на заднице шкуру драл, когда Соседова его обскакала.

— Так что конкуренты — первые подозреваемые. Но это еще не значит, что... — Генерал обвел присутствующих взглядом, в котором читались усталость и раздражение. — Что отравление не могло произойти на бытовой почве. Все, ступайте, работайте. К вечеру жду рабочие версии от вас, ребята. Все. Данилов, останься.

Данилов этого ждал с тяжелым сердцем. Сейчас генерал назначит его старшим в расследовании. И плакал его отпуск в бархатный сезон. Он же ничего такого не хотел, ничего такого не планировал. Не было в его мыслях ни авиаперелета, ни шикарного пятизвездочного отеля, ни загорелых девчонок на пляже с бокалами «Маргариты». Ни о чем таком даже не мечтал. Просто хотел смотаться к тетке на Азовское море. Выспаться, помочь ей по хозяйству, порыбачить, пивка попить. Все достаточно прозаично. Прозаичными были его мечтания. И вполне осуществимыми, если бы не массовый падеж в этой долбаной фирме, чья хозяйка сегодня с утра звонила и с трагическим надрывом в жестком голосе требовала разобраться, поскольку в местном райотделе одни дураки, с ее слов, работали.

— Да присядь ты уже, Данилов, — сморщился недовольно генерал, махнув в сторону опустевших стульев. — Чего столбом торчишь? Чего вздыхаешь?

— Никак нет, товарищ генерал.

— Никак нет! Так точно! — фыркнул Губин с неудовольствием. — Не на плацу, расслабься. Знаю, знаю, что в отпуск собирался. Вижу, что понимаешь, что срывается.

— Товарищ генерал! — взвыл Данилов. — Два года уже не могу к тетке съездить! Старая она, помрет без меня.

— Данилов, ты чего кровь-то из меня пьешь?! — возмутился Губин, откидываясь сутулой спиной на спинку кресла. — Я, что ли, все это затеял?! Кого я поставлю, кроме тебя?! Вот кого? А-а, молчишь? Сам понимаешь, что некого! Была бы эта Соседова кондитершей или сетью ресторанов заведовала, я бы еще подумал. А тут что? А тут оборонзаказ! И не успела она его получить, как сразу два трупа среди сотрудников. Это о чем говорит?! Это говорит о том, что дело весьма и весьма серьезное, Данилов! И будет на контроле у кого? Правильно! На самом-самом верху. Так что, Сережа, ты не дуйся, ступай. Да и... сам понимаешь, чем быстрее ты все это разгребешь, чем быстрее найдешь отравителя, тем быстрее уйдешь в отпуск. Все, Данилов, свободен!

Свободен! Если бы!

Данилов вошел в свой кабинет и с такой силой лягнул свое рабочее кресло, что оно отлетело в угол и, шарахнувшись о стену, жалобно хрустнуло.

Помощник за соседним столом испуганно притих и через мгновение отключил мобильник: он по нему с кем-то очень оживленно трепался, когда Данилов вошел.

— Что? — спросил он. — Все так плохо?

— А что хорошего? Мне надлежит возглавить расследование. Стало быть...

— Не будет отпуска?

Игорек Мишин, хороший парень и отличный товарищ, бессовестным эгоистичным образом порадовался. Работать без Данилова он не любил. И подчиняться никому, кроме него, не любил тоже. Потому что Данилов Сергей Игнатьевич, тридцати пяти лет от роду, недавно получивший подполковника, был настоящим мужиком, чрезвычайно порядочным человеком и классным специалистом своего дела. Он видел нечто там, где никто ничего увидеть не мог. И вопросы умел задавать самые нужные людям, невзирая на то, свидетель это или преступник. И ответы получал самые те — правильные.

— Чего скалишься, гад? — Данилов упал в свое кресло, которое загнал в угол. Глянул тяжело на помощника: — Радуешься?

— Радуюсь, Сергей Игнатьевич, — не стал врать Игорек и улыбнулся виновато: — Извините, конечно, но без вас тут точно будет труба!

— Не льсти, не люблю. — Данилов вытянул ноги. Скрестил руки на груди, прикрыл глаза. — Я уже тетке обещал. Теперь плакать будет. Сердце мне рвать. Тяжело...

— А может, мы быстро все это дело раскроем, Сергей Игнатьевич? Может, оно никакого отношения не имеет к фирме? Может, это частное дело этого зама и секретарши? Может, у них роман?

— Ага... Только почему-то зам помер во дворе собственного дома, а секретарша — в маникюрном салоне. Предположить, что они где-то встретились после того, как вышли из фирмы, не имеем возможности.

— Почему?.. — разочарованно протянул Игорек.

— Слишком мало времени прошло, слишком. Не успели бы эти двое нигде пересечься. Каждый поехал своим маршрутом. Зам уехал раньше. Секретаршу провожал до шлагбаума охранник, и он отметил, что Софья, так, кажется, ее звали, была чрезвычайно бледна и без конца сглатывала. Так, как если бы ее тошнило. Поехала она прямиком в салон. От фирмы до салона без пробок минут десять-пятнадцать езды, она доехала за двенадцать. Время зафиксировано камерой на фирме и камерой наружного наблюдения салона красоты. То есть секретарша никуда не сворачивала, никуда не заезжала и нигде не останавливалась. В бутылке с водой, что осталась в ее машине, яда не обнаружено. Значит, отравилась она в офисе. И зам Соседовой, как там бишь его... — Данилов лениво пощелкал пальцами, призывая помощника к действию.

— Савельев, — подсказал тот.

— Савельев... Савельев Геннадий Степанович... Тоже после совещания сразу поехал домой. Движение его автомобиля было зафиксировано тремя камерами по пути его следования. Судя по времени,

41

он тоже нигде не останавливался и никуда не сворачивал. Стало быть?

Данилов приоткрыл глаза, глянул на Игорька.

— Стало быть, и он отравился в офисе.

— Да. Обе жертвы были отравлены в офисе. Теперь нам с тобой надо подумать, как именно?

Вытянутые ноги Данилова вдруг приподнялись от пола и пристроились на край стола. Так он считал, ему легче думалось.

— Но, Сергей Игнатьевич, как мы тут с вами подумаем? Надо на место выезжать. — Игорек почесал белобрысую макушку. — Там уже осмотреться, народ разговорить.

— Эх, Игорек, Игорек, — вздохнул с печалью Данилов.

У него перед глазами вдруг промелькнула песчаная коса, облизываемая темной морской водой, теткино морщинистое загорелое лицо под козырьком бейсболки. Та никаких платков и панамок не признавала. Ее натруженные руки, перебирающие жирную рыбу в плетеной кошелке. Таганок над костром, на нем прокопченная временем сковородка с шипящим маслом. Толстые кольца лука, крупные кусочки чеснока поверх жарившейся в мучной панировке рыбы. И никого вокруг. Ни единого человека на пляже. Тишина...

— Что, Сергей Игнатьевич? — Игорек вытянул шею.

— У нас с тобой столько материала! Надо подумать хорошо, прежде чем выезжать на место. На месте ты уже должен быть подготовлен, дружище. На месте ты уже должен знать, с кого и что спросить. Итак, Игорек, что могли съесть или выпить заместитель Соседовой и секретарша? Вариант первый с тебя.

Данилов уставился на помощника. Тот сразу затосковал. Задрал голову к потолку, подпер подбородок кулаком. Ни единой мысли. Ни единой стоящей мысли в его голове не было. А хоть бы и появилась, Игорек точно знал, Данилов ее отвергнет. Поэтому, не особенно напрягаясь, проговорил:

— Они могли, уединившись, распить бутылочку шампанского на двоих. Как вам такой вариант, а?

— Да никак. Не могли, — Данилов качнул коротко стриженной головой. — Софья была исполнительным работником. Рабочее место покидала только в случае крайней необходимости. Так о ней говорит Соседова. Кабинет заместителя располагался вообще на другом этаже, а не напротив — дверь в дверь с руководителем. Так что, если бы она решила с ним уединиться за бутылкой шампанского, ей пришлось бы покинуть свое рабочее место минимум на полчаса. Отпадает. Еще варианты?

— Их могли угостить чем-то. Кто-то принес в приемную конфеты, или торт, или... бутылку шампанского.

— Отпадает шампанское, — с легким раздражением возразил Данилов. — Софья не пила на рабочем месте. По слухам, она вообще не пила. К тому же оба были за рулем. Игорек, ты чего?

— Тогда остаются конфеты и торт, — надул губы помощник.

— Ладно, принимаю. Хотя никаких коробок в приемной не нашли. В его кабинете тоже. Еще варианты? — Данилов глянул на помощника пронзительным взглядом, способным растопить глыбу льда, но оказавшимся бесполезным, когда надо было простимулировать помощника.

— Больше вариантов нет, — сконфузился Игорек Мишин. — А у вас, Сергей Игнатьевич?

— У меня... У меня есть подозрение, что эти двое могли что-то выпить или съесть из того, что им совсем не предназначалось, — проговорил Данилов, пристально рассматривая носы своих ботинок, будто считывал там информацию, проплывающую бегущей строкой. — Вот подумай сам, Игорек, кому были интересны эти двое? Ладно Савельев, он все-таки заместитель. Но секретарша... — Губы Данилова пренебрежительно дернулись. — Зачем она кому-то? Каков мотив? Личная месть? Чем она могла кому-то насолить? Ты пишешь?

— Что писать? — вздрогнул Игорек.

— Вопросы, Игорек! Вопросы, которые нас должны интересовать при общении с сотрудниками фирмы! — Данилов повысил голос, поражаясь бестолковости помощника.

— А что конкретно писать? — стушевался тот окончательно.

— Первое: были ли враги у секретарши Софьи. — Данилов закатил глаза и еле сдержался, чтобы не накричать на помощника.

— А про Савельева тоже писать?

— Думаю, отравился он чем-то в приемной, Игорек. Поскольку Софья к нему в тот день не спускалась, а они все прибыли ближе к концу дня на совещание с Соседовой, и, по сведениям, Савельев прибыл в приемную первым. Думаю, Софья его чем-то угощала. Стало быть, отравленный продукт был у нее. Вопрос: кто и чем ее угостил? Кто тот человек, который стремился от нее избавиться? Почему? Это надо будет выяснить в первую очередь.

— А во вторую? — Игорек быстро писал в новеньком ежедневнике, от усердия высунув кончик языка и сильно напоминая тем самым старательного школьника.

— Во вторую — надо будет узнать, кто прибыл в приемную вторым. Этот человек мог угостить их обоих. Вот так-то... — Данилов резво скинул ноги с края стола, встал, потянулся с хрустом. — Давай, выдвигаемся. Едем разговаривать с народом.

Народ оказался при деле. Отвлекать их от рабочего процесса, особенно напряженного в эти дни, Соседова, мягко говоря, запретила.

— У меня и так все трещит по швам! — без конца терла она некрасивыми пальцами переносицу и опухшие от слез глаза. — Заказ такой значимости не каждый год перепадает. А тут такое... Поговорите со мной, господа. А с сотрудниками либо в обеденный перерыв, либо после работы. Идет?

Игорек неуверенно улыбался. Данилов прятал злые глаза. По ее мнению выходило, что у них двадцатичетырехчасовой рабочий день, так? И они должны задавать свои вопросы тогда, когда будет угодно ей?

— Нет, не идет, — отрезал он жестко. — Мы и так пошли вам навстречу, прибыв сюда. Могли бы повесткой всех вызвать.

— Всех?! — ужаснулась она.

— Почему нет? — ядовито ухмыльнулся Данилов. — У нас на руках два трупа. Смерть их наступила в результате отравления. Оба работали у вас. Оба, предположительно, были отравлены в офисе.

Пользуясь полномочиями, могли бы запросто через одного закрыть по подозрению.

— Ужас! — округлила Соседова заплывшие веками глаза. — Ужас! Вы и правда считаете, что их отравили здесь?!

— Да.

— Ну... Тогда как вам будет угодно. — Она скрестила руки на мощной грудной клетке, на которой грудь едва угадывалась, глянула с вызовом: — Начинайте тогда с меня.

— Итак, Алла Юрьевна, вопрос первый: что за человек была ваша секретарша? С кем общалась? С кем встречалась? Ее родственники далеко, подруг пока не выявлено. Соседи ничего толком о ней сказать не могут. Получается, что вы единственный человек, с которым она проводила почти все свое время. Что можете сказать по существу вопроса?

— Соня, Софья, Сонечка... — Соседова стремительно глянула на дверь кабинета, за которой начиналась приемная, теперь пустующая. — Хорошая девочка, исполнительная. У меня к ней претензий не было.

Она надолго замолчала, вспоминая свое раздражение, когда Сонечка особенно прекрасно выглядела и казалась кроткой и исполнительной. Ей так выглядеть никогда не удавалось и кроткой быть — тоже.

— У нее был молодой человек?

— В смысле, парень? Мужчина?

— В этом смысле, да.

— Я не знаю. — Соседова удивленно подергала плечами: — Как-то даже и не интересовалась.

— К ней кто-нибудь приходил, звонил ей, встречал, провожал? — Данилова начало раздражать неведение директрисы. — Что, даже женскими секретами с вами не делилась никогда?

— Нет, у нас не принято было. — Она жестко поджала губы. — Только работа. Ничего личного.

— Значит, молодого человека вы не знаете?

— Нет.

— А подруги? Подруги были?

— Не знаю. Она общалась со всеми и ни с кем особенно, — констатировала, к собственному удивлению, Соседова. — Пожалуй, чаще других в приемную заглядывала Нонна Васильевна Голубева. Из отдела маркетинга. Поговорите с ней.

— Непременно, — Данилов записал. — Так, теперь давайте вспомним с вами, Алла Юрьевна, вечер, предшествующий трагедии. Вы собрали сотрудников на внеплановое, насколько мне известно, совещание. Так?

— Так.

— Что за повестка дня была?

— Повестка?

Соседова прикусила нижнюю губу, стремительно соображая, насколько правдивой должен быть ее ответ. Потом поняла, что ее все равно сдадут, хитри они не хитри, и проговорила:

— На повестке дня стоял один-единственный вопрос: кто та крыса, что завелась в нашей конторе? Кто сливает наши секреты конкурентам? Кто вредит?!

Опа! Вот это поворот! А почему не было об этом ни словечка в записях предварительного опроса? Никто не обмолвился ни словом. Игорек округлил глаза, мгновенно обнажая удивление. Данилов лишь ободряюще кивнул, призывая ее к продолжению.

— Мы получили заказ, вы слышали, да? — Она дождалась двойного утвердительного кивка. — Планировалось слияние с одной из крупнейших фирм, в общем, мы были на рубеже великих перемен. Приятных перемен, как вдруг прошла информация от представителей фирмы, с которой у нас планировалось слияние, что у нас утечка информации. Причем настолько важной, что... что я остолбенела просто. Сначала не поверила. Люди у нас не по одному году работают, все проверенные. А тут такое... Где-то около месяца назад, по договоренности с нашей службой безопасности, мы запустили «утку».

— Решили ловить на живца?

— Совершенно верно. Якобы секретную информацию оставили в компьютере, направив на него несколько скрытых камер слежения. А я и начальник СБ замерли у мониторов. Операция была засекречена.

— Кто знал о ней?

— Я и начальник СБ. Все! Больше посвященных не было.

— Информацию, так я понимаю, скачали?

— Да, совершенно верно. Мы могли наблюдать за этим из кабинета начальника службы безопасности.

— Кто же это сделал?

— Кто?.. Вот этот вопрос остается открытым до сих пор. — Соседова горько ухмыльнулась: — Мы могли наблюдать за тем, что творится в компьютере-ловушке, но не могли наблюдать за тем, кто это делает.

— Как так?

— Кто-то разом вывел из строя все камеры слежения, включая те, за трансляцией с которых мы наблюдали.

— Но вы могли туда просто войти и...

— Вошли, — перебила его Соседова с неприятной улыбкой. — А в кабинете никого. Но информацию-то скачали! Тогда мы приняли единственно верное решение.

— Вы перекрыли входы и выходы и начали обыск? — присвистнул Данилов.

— Совершенно верно, — Соседова впервые с одобрением глянула на молодого смуглого парня, сидевшего перед ней слишком вальяжно, можно даже сказать, развязно. — Мы перекрыли все выходы и начали обыск.

— Нашли?

— Да, нашли. — Она недовольно сморщилась и махнула рукой: — Нашли диск с той самой информацией, что украли. В сумочке у Саши Воронцовой!

Соседова фыркнула и недоверчиво покачала головой. Неряшливая прическа пришла в движение, прикрывая ее полное лицо сальными прядями.

— Знаете, я ни тогда не поверила, не верю и сейчас, что она причастна.

— Так безупречна эта Воронцова?

— Не в безупречности дело, а в моем чутье! — Ее узловатый палец ткнул себя в левую сторону груди. — Тут вот у меня чуйка, понимаете! Не могла она. Да и незачем ей.

— А деньги? За информацию, как правило, платят. И хорошие деньги! Это мотив, да еще какой!

— Она не бедствует. У нее дед — кадровый военный с шикарной пенсией. Бабка оставила ей наследство. Что-то осталось от родителей. Воронцова купила себе квартиру несколько лет назад. Машина у нее есть, наряды, семьи нет, детей нет. Да незачем ей! Мы ее проверяли.

Данилов написал крупно: «Воронцова». И поставил знак вопроса.

— Где она теперь? — спросил он, запахивая блокнотик.

— Дома.

— Вы ее уволили?

— Нет, пока отправила в отпуск.

— Гм, стало быть, поверили ей?

— Я никому не верю! — презрительно фыркнула Соседова, брызнув слюной на полированный стол, не заваленный сегодня бумагами, и уточнила: — Кроме самой себя! Очевидно было, что Воронцову подставили. К тому же, после того как я ее отправила в отпуск, случилась еще одна утечка информации.

— Тоже «утка»?

— Да нет, знаете ли. Более чем серьезная информация.

— Кто имел к ней доступ?

— О господи! Да немногие! — Она закатила глаза, сделавшись похожа на покойницу. — Главбух, начфин. Покойный Савельев, н-да...

— А ваша секретарша?

— Что — моя секретарша? — Соседова выгнула мощную спину, насколько это вообще было возможно при ее размерах. — Если хотите, она знала чуть меньше меня! Но ни разу, слышите? Ни разу не была уличена в чем-то! Она была честным, хорошим человеком, н-да...

Данилов снова распахнул блокнотик и сделал запись: «Савельев, Софья — носители информации». И поставил еще один знак вопроса. Тут же нахлынула такая тоска, что его едва не вывернуло.

Какой теперь, к чертям, отпуск на Азовском море?! Какая рыбалка?! Барахтаться теперь ему в этих чертовых секретах, как мухе в варенье.

— Итак, — встрепенулся он. — Вы остро поставили вопрос на совещании о шпионаже. И?

— Более того. — Соседова хитро подмигнула и рассказала, как разыграла всех, демонстрируя черную кожаную папку с якобы имеющейся в ней информацией на предателя.

— Видели бы вы их! — с восторгом закончила она. — От их суеты и подобострастия меня аж замутило!

Они еще с полчаса поговорили с ней, уточнили детали, имена сотрудников, расписание. Потом пообещали, что еще не раз встретятся, и пошли с опросом по отделам.

Данилова порадовала Голубева Нонна Васильевна, оказавшаяся веселой, молодой и беспечной. Она трещала без умолку, рассказывая даже о том, о чем ее не спрашивали. Она-то и поведала, что Соня ни с кем не встречалась, а безнадежно сохла по Сашке Горячеву, который, в свою очередь, собирался жениться на Воронцовой.

— Но после этой истории с ней, сами понимаете, — сделала Нонна Голубева страшные глаза.

— Он ее бросил?

— Не знаю, бросил или нет, но отстранился. Ушел на дно, я бы сказала.

Софья безнадежно пыталась минувшие три недели его с этого дна выловить. Даже досаждала ему, но Горячев ее знаки внимания оставлял без ответа.

— А как он обрадовался, когда Соседова заикнулась о непричастности Сашки Воронцовой к скандалу с диском! — Голубева мечтательно закатила глаза, сцепила пальчики замочком, прижала к груди. — Его эта новость просто к жизни вернула! Он так стремился с Соседовой остаться с глазу на глаз, но...

— Но?

— Но ее облепили эти двое — Савельев и наш главбух Заломов. И даже близко подойти не дали. Но, думаю, у них теперь все будет хорошо. Воронцову реабилитировали. Так романтично, господи...

Смерть секретарши Сонечки и заместителя Соседовой, Савельева Геннадия Степановича, ее, казалось, не тревожила вовсе. Говорить она об этом не хотела. У нее никаких предположений не было на предмет того, кто мог пожелать им смерти.

— Ну ладно, Савельев все-таки значимая фигура, хоть и противная. — Нонна сморщила аккуратный носик. — Но Соня... Кому она нужна? Ляпсус какой-то!

— Что, простите? — Бедный Игорек, не успевающий записывать ее трескотню, вытаращил глаза. — Ляпсус?

— Ну да! А что? — Она глянула на Игорька с пренебрежением: — Вам не нравится это слово?

Нонна тщательно обходила вниманием помощника Данилова, сосредоточившись исключительно на нем. Ей импонировал смуглый черноволосый следователь. И она даже бы с ним... Если бы он захотел, конечно...

— Ничуть. Просто хотелось бы знать, какой смысл вы в это слово вкладываете?

— Ошибка, молодой человек. Мне все это кажется какой-то чудовищной ошибкой. — Последние слова свои она договаривала, уже глядя в глаза Данилову. — Мне кажется, что отравить хотели Савельева. А Сонечка попалась за компанию.

Данилов сердечно поблагодарил девушку, сунул ей свою визитку на случай, если она вдруг вспомнит какие-нибудь щемящие душу подробности, способные пролить свет. И вышел с Игорьком в коридор.

— Знаешь, в ее словах есть доля истины, — проговорил он задумчиво, рассматривая длинный широкий офисный коридор. — У меня тоже сложилось впечатление, что бедная девушка попалась по ошибке. Что-то съела, выпила за компанию и умерла.

— А как мы узнаем, что именно? Наши эксперты ничего не нашли! Ни в машинах у них, ни дома, ни в кабинете Савельева, ни в приемной. Уборщица утверждает, что ничего такого не было, ничего такого она не выбрасывала. Ничего! Ни упаковок, ни коробок, ни бутылок, ни чашек.

— Стоп! Игорек, да ты молодец!

Широко шагая, Данилов за пару минут преодолел длинный коридор, взлетел вверх по лестнице, ворвался в приемную и едва не свалил с ног высокого мужчину, стоявшего в задумчивости перед высокой стойкой секретаря. Длинные тонкие пальцы его маршировали по полированной поверхности стойки. Глаза внимательно за этим маршем наблюдали.

— Что это вы, юноша, носитесь, как по стадиону! — неодобрительно покосился он на Данилова. — Здесь все же офис.

— Кто вы? — просто спросил Данилов, демонстрируя удостоверение.

— Главный бухгалтер Заломов Василий Васильевич.

Глубоко посаженные глазки главбуха хищно вцепились в лицо Данилову, расчленяя его на фрагменты. Сначала они прошлись по его открытому лбу, пощупали высокие скулы, обошли вниманием прямой правильной формы нос, неприлично сосредоточившись на полных губах, и тут же нырнули в черные даниловские глаза, как скальпелем в них пырнули.

— К вашим услугам.

— Что вы здесь делаете? — Данилов кивнул на стойку, а потом на дверь Соседовой. — Там и тут никого нет. Алла Юрьевна уехала, насколько мне известно.

— Мне тоже это известно, юноша, — неприятным голосом ответил Заломов. Обвел взглядом приемную. — А здесь я... Здесь я рассуждаю, юноша. Размышляю и сопоставляю.

— И о чем же вы размышляете?

Данилов обошел его, зашел за стойку, потом за шкаф, внимательно осмотрел раковину. Для чего-то понюхал сток. Пахло моющим средством. Ясно, поработала уборщица. Она всегда убирала по вечерам, он уже это знал. После того, как все уходили. Потом влез в шкаф и принялся осматривать посуду на полке. Дорогой чайный и кофейный сервизы. Несколько серебряных подносов, столовые приборы. Он достал перевернутый вверх дном кофейник, который стоял с самого края, осмотрел его, снова зачем-то понюхал.

— Вы движетесь в правильном направлении, юноша! — вдруг воскликнул Заломов, хищно оскалившись, и хлопнул в ладоши. — Я бы сказал — «горячо»!

— В смысле? — Данилов потряс кофейником. — Вы хотите сказать, что яд вчерашним вечером был тут?!

— Думаю, что да. — Заломов обошел стойку, подошел к Данилову вплотную. Взял из его рук кофейник, осмотрел его. И тоже для чего-то понюхал. — Бедный Савельев, бедная Сонечка. Они выпили яд, который предназначался Соседовой.

— Та-ак... — Данилов остолбенел. Вытащил аккуратно кофейник из цепких жестких пальцев Заломова. Вернул его на полку. — Давайте-ка с этого места поподробнее. Идет?

— Как прикажете, — Заломов развел руками и вдруг пригласил всех в свой кабинет. — Там мне как-то сподручнее и рассуждается лучше.

Прошли в его кабинет — это была следующая за приемной дверь по коридору. Игорек застыл у входа. Данилов по привычке сел у окна, вытянул ноги, сцепил руки на животе, полуприкрыл глаза. Заломов какое-то мгновение неодобрительно его рассматривал, потом со вздохом прошел на свое место за громадный, как торговый прилавок, стол.

— Итак, вы считаете, что яд был в кофейнике? — нарушил тишину Данилов.

— Я не считаю, юноша. Я в этом уверен, — проскрипел Заломов и забарабанил сухими, как ветки погибшего дерева, пальцами по столешнице. — Я много думал эти часы. Все по минутам вспоминал. И пришел к выводу, что... что Гена и София попались случайно. Отравить хотели не их.

— А кого? — Данилов уже догадался, уже знал ответ, но услышать все же хотел.

— Соседову! Конечно, ей предназначался яд. И она сама, дура, виновата! — Левая щека главбуха нервно дернулась, губы сжались тонкой полосой. — Устроила шоу, понимаешь!

— Давайте по порядку. — попросил Данилов. — Яд, по вашим предположениям, находился в кофейнике, так?

— Так.

— Кофе предназначался Соседовой?

— Совершенно верно. Был, был у нее такой ритуал — выпивать кофе перед совещанием, в момент совещания и после. София готовила ей кофе ровно на четыре чашки. Вот Алка пила две до совещания. Одну — пока мотала нам нервы. И одну — уже после того, как все уходили. Отходила, так сказать.

— Так бывало всегда? — уточнил Данилов, нехотя достал блокнот и сделал там несколько пометок.

— Совершенно верно. Правилам своим она никогда не изменяла. За исключением того рокового вечера. — Заломов так глубоко втянул в себя воздух, будто решил оставить их в своем кабинете в полном вакууме. — Но слишком уж мерзкой была повестка. Слишком. И выпить чашку в процессе Алка забыла. Руки у нее были заняты. Она все время шпилила кнопку черной кожаной папки. А потом ей было не до этого.

— То есть до совещания она кофе выпила? Две чашки, как и положено?

— Не могу знать. Спросите у нее. — Заломов принялся тереть кончиками пальцев подбородок, покрытый жесткой светлой щетиной. Глаза его смотрели невидяще. — Если выпила, значит, изначально кофе не был отравлен. Он и не мог! София его готовила и сразу несла ей. Так было всегда.

— Вы когда пришли в приемную?

— Задолго до начала. Когда я пришел, Савельев уже был там. Принес Софии розу. Я тоже, старый идиот, с розой к ней приперся. Все-то нам хотелось узнать из первых уст, с какой целью собирает нас под самый вечер наша змея!

— Когда вы пришли, София сидела на месте?

— Совершенно верно, юноша. Савельев стоял перед стойкой. Я встал рядом с ним.

— В вашем присутствии она кофе не подавала Соседовой?

— Нет. Кофейник уже был там. Когда мы вошли, он стоял там вместе с чашкой. Погодите! — вдруг воскликнул Заломов, дернув шеей. — А ведь Алка пила кофе-то. Точно, пила! Чашка была с гущей.

— Значит, она выпила привычные две чашки до совещания, так?

— Выходит.

— И осталась жива. Значит, изначально кофе не был отравлен. Дальше? Что было дальше?

— А дальше она принялась наматывать всем нам нервы на кулак. Начала тыкать в какую-то черную папку и утверждать, что там у нее компро-

спешила куда-то... Короче, когда мы уходили все вчетвером...

— Кто именно?

— Я, Соседова, Савельев и Горячев.

— Кофейник оставался на краю стола?

— Именно. И там еще оставался кофе. Я точно знаю, я хотел себе налить после того, как Савельев перехватил у меня чашку. Взял в руки, встряхнул.

— И не выпили?

— Нет, не успел. Все двинулись к выходу. Я — за ними.

— Соня была в приемной?

— Да. Соседова сказала ей, что она может быть свободна, и мы все ушли. Думаю, что бедная девочка допила кофе. Она всегда убирала со стола Соседовой. Та не позволяла уборщице дотрагиваться до посуды. Посудой ведала Соня. Она убрала, допила кофе и... и отравилась. — Заломов замолчал, тупо рассматривая стол с аккуратными стопками папок. — Кто-то хотел отравить Аллу. А попались Савельев и Соня. И чуть я не попал... Это... это рок! Судьба!

— Сделано это было уже после совещания. Когда все столпились возле ее стола, — проговорил Данилов.

— Да. Сделано это было уже после совещания. Когда все столпились возле ее стола.

— Как думаете, кто это мог быть?

— Не могу знать, — насупился еще сильнее Заломов и сделал вторую попытку оставить кабинет без воздуха. И вдруг проговорил, с силой выдохнув и глянув на них с сумасшедшинкой: — Даже не могу предположить. Я этого не делал точно. А кто мог ее ненавидеть так же сильно, как и я, я не знаю...

ГЛАВА 5

Первой почувствовала за собой слежку Валечка. Утром она сходила в ломовский магазин за свежей чайной колбаской и вернулась сама не своя.

— Добился?! — выдохнула она, едва шевеля посиневшими вялыми губами. — Поменял отопление за счет ЖЭКа, сволочь старая?

Взгляд ее, упершийся в молчаливо стоявшего посреди коридора мужа, вдруг поплыл, сделался мутным, и Валечка осела на пол, прямо в пыльное пятно, оставленное ее босоножками.

— Убьют ведь нас, Ваня! Спишут по чистой! — прохрипела она, заваливаясь на бок.

Ваня не сделал попытки ее поднять. Просто стоял и с брезгливой гримасой рассматривал, как возится на пыльном полу его неуклюжая, сильно постаревшая жена. Он бы многое отдал, чтобы ее теперь шарахнул инсульт или инфаркт. Пусть даже не насмерть. Пусть просто она перестанет говорить и двигаться. Лишь бы перестала говорить и двигаться. Лишь бы не слышать ее отвратительного голоса. Не видеть, как перекатываются под одеждой складки ее старого тела.

Он давно уже ждал этого. Очень давно. И теперь с садистским удовольствием наблюдал за ее испугом. Мог бы долго так стоять, но любопытство все же взяло верх. Иван шагнул к жене, протянул руку и, когда та в нее вцепилась, с силой дернул вверх.

— Спасибо, — буркнула Валечка, сняла босоножки и потащилась в кухню, без конца приговаривая: — Я так и знала... Я так и знала, что на старости лет ты, сволочь такая, облажаешься.

— Ты долго будешь кудахтать? Может, расскажешь по существу?

Ваня вошел следом за ней в кухню — красивую, нарядную, как рождественская открытка, — выхватил из ее рук батон чайной колбасы в натуральной оболочке и батон хлеба. Выдвинул ящичек, где пряталась резательная доска, и принялся готовить себе бутерброды. Сделал четыре штуки. Сел с ними к столу, покрытому льняной красной скатертью. Глянул на жену, застывшую возле окна.

— Ну! В чем дело? — прикрикнул он с набитым ртом.

— Вон машина во дворе. Видишь, темная?

Пришлось Ивану вставать и рассматривать черный седан из-за ее плеча.

— И что?

— В ней сидят двое. Морды — во какие! — Валечка растопырила ладони возле своего не мелкого лица. — Я — в магазин, один вышел из машины и за мной. Я из магазина, он — следом. Я в подъезд, он — в машину.

— И что? Может, ждут кого? А в магазин пошел за питьем или сигаретами.

Иван равнодушно пожал плечами, стараясь говорить как можно спокойнее. Стараясь быть убедительным. Но...

Но он узнал эту машину, хотя и не видел водителя. На этом автомобиле частенько подвозили Филонова к его офису. Значит, это его дружки бандитские. Значит, в самом деле их пасут. Зря он обнажил свою осведомленность, зря. Надо что-то делать, как-то себя обезопасить, иначе дело дрянь. У него на это чутье.

— Ничего он в магазине не покупал, скотина! — заорала Валечка, поворачиваясь к нему потным несчастным лицом. — Он просто стоял у прилавка, смотрел на меня и ухмылялся. Ты виноват, ты!..

Ее крепко сжатый кулак трижды ударил Ивана по плечу. И так сильно ударил, что плечо заныло. Хорошо, нож он вовремя отложил, успев нарезать бутерброды. Хорошо. Иначе вошло бы лезвие аккурат между ребрами его толстомясой супруги. Он стиснул зубы и вернулся к столу. Впился крепкими зубами в бутерброд.

— Это слежка за нами, — простонала она через час, обнаружив, что черная машина так никуда и не уехала. — Это Филонов прислал своих дружков, чтобы они нас... Господи, зачем тебе это было надо?! Кто тянул тебя за язык, сволочь ты старая?! Как теперь быть?

— Не бухти, я что-нибудь придумаю, — не совсем уверенно пробормотал Иван.

И решил, что надо попробовать сделать вылазку с целью проверки. Сделал. Тоже пошел в магазин, теперь за молоком, хотя и не нужно было. В холодильнике стояли две полные бутылки.

И точно: из черного седана вылез мордастый малый, стоило Ивану поравняться с машиной. И пошел за ним следок в следок до магазина и обратно. И ничегошеньки не купил. Как Валечка и сказала, стоял у прилавка, рассматривал Ивана и ухмылялся.

Был ли то акт устрашения или следовало ждать чего-то более ужасного, Лопушин не знал. И знать не хотел. Он хотел удрать отсюда как можно дальше и как можно быстрее. Но удрать хотел один. Валя ему была ни к чему. Он так ей и сказал, когда принялся вечером собирать вещи, а она вдруг разревелась.

— А как же я, Ванечка?! Я одна не смогу! Без тебя не смогу, — неожиданно призналась она ему. — Привыкла уже за столько-то лет. Прости, если что было не так, но...

Тут ее слова, которые его и удивили и рассердили одновременно, прервал звонок в дверь. Длинный и пронзительный.

— Они! — взвизгнула она истошно и вцепилась ему в руки: — Не подходи к двери! Не подходи, прошу тебя!

Звонили без остановки. Просто кто-то поставил палец на кнопку и не убирал его. Бандиты, если они намеревались их убить, так светиться не станут, решил Иван. И отцепив от себя Валины судорожно цеплявшиеся пальцы, пошел в прихожую. Не включая света, на цыпочках он подошел к двери, припал к глазку. И едва не задохнулся от ненависти.

Старик! Это звонил старик из квартиры напротив! Седая его голова гневно дергалась. Обнаженная рука, задранная к кнопке звонка, тоже дергалась.

— Открывайте, проходимцы! — вдруг заорал не своим голосом старик. — Открывайте, или я вызову полицию!

— Ах ты старая сволочь! — тихо прошептал Ванечка и принялся крутить головку замка.

Он распахнул дверь и, прежде чем старик успел вымолвить хоть слово, ударил ему кулаком в переносицу. Это очень болезненно, очень. Он знал. И на какое-то время превращает противника в безвольную куклу. Старик не был противником — он был просто стариком.

— Гады, проходимцы, — захрипел он, падая на одно колено и зажимая нос ладонью. — Уже обнаглели совсем! Уже до воровства скатились!

— Ты чего?! — Из-за спины Ивана выскочила Валечка и нависла над стариком, подбоченившись: — Ты чего, старый козел, ты кого обвиняешь в воровстве?! Совсем из ума выжил?!

— Воры! — громко хрипел старик. — Воры, проходимцы! Наградной пистолет! Память! Украли! Воры, проходимцы! Видели, видели люди, как вы возле моей двери терлись! Воры!

Где-то внизу и вверху захлопали двери. Кажется, кто-то свешивался через перила, с любопытством рассматривая разыгрывающийся спектакль. Иван аж позеленел.

— Уйди, старик! — крикнул он громко. Так, чтобы слышно стало всем зрителям. — Уйди, или я вызову полицию!

Тут же он подумал, что этот инцидент для них с Валечкой как нельзя кстати. Он вызовет полицию, те приедут, начнется разбирательство. А они с Валечкой под шумок смогут скрыться от черного седана, так и не исчезнувшего со двора до сих пор.

— Уйди, или я вызову полицию! — еще громче, почти крича, повторил Иван.

Валечка притихла, сразу смекнув, что орет ее супруг не из блажи какой, а из расчета. Что-то уже сообразила его седая голова. Она быстро исчезла в квартире, усилив свои старания по сбору необходимых вещей.

— Уйди! — в последний раз крикнул Иван и попятился в квартиру.

— Воры, — уже тише повторил между тем старик и заплакал: — Наградной пистолет! Украли, воры!

Иван, заметив чью-то длинную прядь волос, свесившуюся с перил верхнего этажа, ловко разыграл благородство, подняв старика и проводив его до дверей его квартиры.

— Вам следует успокоиться, — сказал Иван, буквально впихивая старика в его квартиру и возвращаясь к себе.

Он запер дверь, послушал, как стучат захлопываемые двери сверху и снизу в подъезде. Зрители разошлись. Удовлетворенно улыбнулся и, войдя в спальню, где Валечка лихорадочно собиралась, проговорил:

— Первое действие закончилось.

— А второе? Каким будет второе? — Она развела руки в стороны, растягивая чистую ночную сорочку и размышляя, брать ее с собой или нет.

— А вторым действием я вызову полицию сразу, как ты соберешь свое барахло. Под шумок мы с тобой слиняем. Поняла, курица? — Он ткнул ей кончиками пальцев в затылок.

— А если у тебя ничего не выйдет? — Она скомкала сорочку и швырнула ее в сторону, заметив крохотную дырочку на кружевном воротничке.

— Выйдет. — Он сел на край кровати, наблюдая за ее лихорадочными движениями. — Только тебе придется все оставить. Все, кроме денег. Деньги надо будет забрать, Валечка.

— Их тут нет, — сразу смутилась она под его пристальным взглядом. — Ты же знаешь — я не храню деньги дома!

Знал. Конечно, он это знал. Иначе нашел бы давно. Обысков было несколько.

— Ладно, заберем по дороге, — смиренно опустил он голову.

— А твои? Твои где деньги?

Иван достал банковскую карту, помотал у нее перед носом:

— Здесь, Валечка.

— А-а, понятно. — Она быстро опустила алчный взгляд. И повторила на его манер: — И ладно. И хорошо. Слышь, Ванечка, а если вдруг что-то пойдет не так?

— Что именно?

— Вдруг второе действие будет не таким, как ты задумал?

— Дура, — холодно ухмыльнулся он ей в темя. — Мой сценарий. Моя игра.

Тут, словно в опровержение его утверждений, снова раздался длинный пронзительный звонок.

— Сам дурак! — вякнула Валечка, бледнея и поднимаясь с коленок перед кроватью. — Вот тебе и второе действие не по твоему сценарию. Снова старик! Как же он достал!

К двери они шагали бок о бок. Даже мешали друг другу в узких дверных проходах, но настырно шли на непрекращающийся звонок. Иван отпер замок, Валечка дернула дверь на себя. И одновременно они выпалили:

— Что надо?!

Валечка даже не сразу поняла, что случилось, когда раздался дикий грохот, от которого ей заложило уши. Глянула на Ванечку, а он уже лежит возле ее ног. Вместо лица у него страшное кровавое месиво, обнажившее белые кости и зубы, стоившие Ванечке целого состояния.

— Что надо? — еле успела она вымолвить и упала с развороченным черепом рядом с мужем...

ГЛАВА 6

Саша говорила по телефону с Горячевым, когда в дверь ее квартиры позвонили.

— Саша, ко мне пришли, — пожаловалась она.

— Кто? — мягким, нежным голосом спросил он. — Ты ждала кого-то в гости?

— Нет, не ждала.

Саша удивленно оглянулась на дверной проем гостиной. С чего-то звонок сделался непрерывным. И, как показалось ей, агрессивным. Дед к ней прийти не мог, они три часа назад говорили по телефону: он собирался разбираться в доме, а потом отдыхать. С Сашей Горячевым, который прежде бывал у нее нечастым гостем, они говорили по телефону, это тоже был не он. Кто же тогда?

— Пойди открой. Потом договорим. Я еще не сказал тебе самого важного, — произнес он все так же мягко и нежно и отключился.

Саша встала с дивана, где валялась последние полчаса, жмурясь от счастья. Глянула на часы: половина девятого вечера.

— Кто там? — спросила она, ничего не разглядев в дверной глазок.

— Сашка! Открывай! Беда!

Три слова в ответ. Хлестких, болезненных, жестких.

— Витька, ты, что ли?

Ей показалось, это хозяин дежурного магазинчика, что располагался под ее окнами, который вечно ставит свою машину поперек проезжей части и с которым она постоянно скандалит из-за этого.

Витя Ломов. Точно, он. Но зачем он тут? Что ему надо? Может, задел, паразит, все же ее машину, неудачно паркуясь на своей «Газели»? А что мог привезти так поздно? Он никогда так поздно ничего не выгружал.

— Вить, ты? — повторила она.

— Да я, я это. Открывай, беда, говорю!

Саша открыла дверь, уставилась на Ломова. Выглядел тот, как обычно, как будто только что его башкой подметали проезжую часть на проспекте. Заодно воспользовавшись и его штанами и рубашкой. То есть грязный, лохматый, потный. Теперь вот еще и бледный.

— Сашка, пошли! — потребовал Витя и шагнул в сторону от двери. И повторил: — Беда!

— Что без конца повторяешь! — возмутилась Саша и опустила взгляд на свои голые ноги.

Она была в коротких шортах, крохотной маечке, едва достающей до пупка, и босая. Вечер начала сентября не был теплым. Надлежало одеться. А если еще и патрульных ждать для составления протокола. Это на тот случай, что Витька все же впился громадным колесом своей машины в ее бампер.

— Надо одеться, — уточнила Саша. — Что стряслось-то? Машинку мою задел?

— Вот дура-баба! — возмутился Ломов. — Стал бы я к тебе подниматься! Протокол бы составили, тогда и позвали. Не задевал я ничего. Беда... беда с дедом твоим, Сашка.

Господи! Бабка! Она все же достала деда с того света! Она же напророчила, что дед не доживет до холодов.

Саша зажала рот ладонью и минуту смотрела на Витькину косматую голову, которую тот опустил, чтобы не встречаться с ней больше взглядом. И от того, что он не желал на нее больше смотреть, ей стало совсем худо.

— «Скорую»... «Скорую» вызвали?! — прошептала она. И затараторила, хватая с вешалки куртку и вдевая ноги в высокие кроссовки: — Вить, у него сердце в последнее время барахлило. Вить, «Скорую» надо же! Чего молчишь? У него давление или сердце? Вить, чего, а?!

Она выскочила из квартиры в длинной пуховой куртке до голых коленок и высоких кроссовках на босу ногу. Заперла дверь, застегнула куртку на две кнопки снизу и пошла следом за Витькой к лифту. В кабине они встали бок о бок. Он молчал, и она замолчала. Задать ему самый страшный вопрос она все никак не могла. У нее язык не поворачивался спросить, жив дед или нет. Может, все-таки Витька ошибался? Может, не все так плохо? И сейчас она схватит деда за руку, когда его понесут на носилках к карете «Скорой помощи», и...

— Саш, его больше нет, — обронил Витя, когда лифт остановился на первом этаже и двери с металлическим лязганьем распахнулись.

— Что?! — Она шагнула наружу, привалилась к стене, глянула дивовато на хозяина магазина. — Что ты сказал?!

— Твоего деда больше нет, Саш. Хотел как-то мягче... — Он замялся, снова низко опуская голову. — Но не приучен я к таким словам. Просто прими это как неизбежность, Саш. Так бывает. Наши старики уходят и...

— Вздор! — взвизгнула она и, оттолкнув его — он загораживал проход, — побежала к подъездной двери. — Он был жив и здоров три часа назад. Он собирался разбирать старые вещи! Мы завтра должны были... весь хлам выбросить! Мы... мы должны были...

Она нечаянно споткнулась о порог и еле удержалась на ногах. Или это Витька подхватил ее под руку, не дав раскроить ей лоб о железную подъездную дверь.

— Остановись, — попросил он тихо. — Отдышись.

Саша оперлась ладонями о подоконник, зажмурилась. Видеть вечернюю милую тихую улицу было выше ее сил. Мягкий свет уличных фонарей делал сентябрьский вечер уютно оранжевым. Спокойно прогуливались парочки. Мирно трусили собаки в сопровождении хозяев. Узкие тонкие листья ив, отражая свет, сверкали золотом. Все там, на улице, было замечательным и спокойным. Ничто не предвещало конца света, который наступил для нее.

«Да и нечего ему там, с вами, нечего делать...» — вспомнился бабкин монолог из недавнего сна.

«Пришло время. Видимо, пришло и его время», — упала тяжелой едкой каплей в сердце мысль о бренности бытия. Это неизбежно. Это рано или поздно должно было случиться. И Саша не смогла бы его укараулить. Не смогла бы.

— Его уже увезли? Кто обнаружил тело? — еле выдавила она через сухие рыдания, сотрясающие тело. — Сердце? Что сказали врачи? Почему он не позвонил мне, господи! Почему кто-то оказался рядом с ним в тот момент, а не я?! Ну! Что молчишь?! Кто его?.. Как он?..

— Его обнаружила полиция, — едва слышно проговорил Витька, встав рядом с ней возле подоконника.

— Он что, упал на улице? — Саша зажмурилась от слез, хлынувших внезапно. Оранжевая улица съежилась вдруг и поплыла в сторону, увлекая за собой Витькин магазин, как будто случилось наводнение.

— Нет. Его обнаружили дома.

— Кто-то из соседей вызвал «Скорую»?.. Погоди! А почему полиция?! — Саша стремительно вытерла глаза, щеки, уставилась на Витьку как на дурака. — Ты чего несешь?! При чем тут полиция?!

— Ее вызвали соседи.

— Зачем? Когда старому человеку плохо, кого следует вызывать, Витя?! — Она вцепилась в рукава его рубашки и тряхнула, разворачивая хозяина магазина на себя. — Кого следует вызывать, когда старому человеку плохо?! При чем тут полиция???

— Не ори, Саш, — лицо Ломова болезненно сморщилось. — Оглушила просто. И рубаху не рви. У меня их не так много.

— Что?! — Она опустила взгляд на свои руки, комкающие рукава его рубахи, тут же отпрянула. — Извини.

Саша привалилась спиной к стене, чтобы не видеть сентябрьского вечера, живущего за подъездным окном слишком неспешно и мирно. Подышала полной грудью. Надо было собраться. Надо было сжать себя всю, как пружину. Надо было перестать выть, плакать, орать на бедного Ломова. Надо было загнать поглубже слезы. У нее еще будет время нареветься. Еще будет время. Теперь ей его расходовать не на кого.

— Все... все, я в порядке. — Саша застегнула куртку до подбородка, затянулась поясом, который нашла в кармане. — Говори... Все говори, прежде чем мы пойдем туда. Нам... нам ведь надо туда, так?!

— Да. Тебя там ждут.

«Кто-то, но не дед», — вонзилась острая игла в гортань, мгновенно перекрывая дыхание.

— Говори, потом пойдем, — прохрипела Саша. — Я должна быть готова.

К тому, что рассказал Витька Ломов — этот странный, несуразный человек, имеющий магазин, но не имеющий лишней рубахи, — подготовиться было невозможно. Это было такой чудовищной фантазией, что в первую минуту Саша расхохоталась.

— Ты идиот совершенный, Витя, да?! — вытаращив глаза, как безумная, хохотала ему в лицо Саша. — Мой дед сначала пострелял соседей, а потом застрелился сам? Ты идиот? Господи, а я-то и правда поверила...

Он ее ударил. По щеке. Просто чтобы привести в чувство. И это подействовало. Смех прекратился. Саша замерла перед ним с открытым ртом и прижатой к щеке ладонью. И показалась ему такой маленькой, такой несчастной и беззащитной, что он не выдержал и обнял ее:

— Идем, Саня. Полиция велела тебя привести. Идем. Истерить будешь позже...

Она шла в обнимку с Ломовым через весь дедов двор. Нелепая, в длинном, перетянутом в талии, пуховике и высоких кроссовках на босу ногу. Несчастное, перекошенное от горя лицо, растрепавшаяся стрижка, вытаращенные заплаканные глаза.

Все происходящее в тот момент было как бы с ней и не с ней одновременно. Боль то накатывала, то казалась посторонней. Мысли то пронзали, то казались отстраненными и трезвыми.

Хорошо, что вечер, народу мало, думала Саша, неуверенно шагая с Витькой в ногу. Иначе от зевак, злобно шепчущихся вслед, было бы совсем скверно. Но возле подъезда народ все равно был. И машины полицейские с включенными мигалками. «Скорой» не было. Ах да, зачем она, если все мертвы. Деда увезли или нет? Он в квартире застрелился или...

Кого из соседей он застрелил? Наверняка ту мерзкую парочку, на которую постоянно Саше жаловался. Почему она не помогла ему приструнить их?! Почему не встала на сторону деда, а поверила им?!

Народ резко раздался в стороны, когда они с Виктором подошли к подъезду деда. Саша вскинула голову и шагнула к подъездной двери. И снова, если бы не Ломов, упала бы. Потом был очень длинный изнурительный подъем: лифт остановили, запретив им пользоваться. Ступенька за ступенькой, ступенька за ступенькой. Навстречу попадались какие-то люди, тут же прилипавшие к подъездным стенам и прятавшие от Саши взгляды. Слепили вспышки фотоаппаратов. Кажется, их была целая дюжина. Как будто кто-то устроил чудовищную по замыслу фотосессию в подъезде деда.

— Зачем все это?! — тихо простонала она.

Кивнула на мужчину, скорчившегося на корточках у открытой двери, той самой, за которой жили досаждавшие деду соседи, которых она сочла вполне милыми людьми. Человек что-то соскребывал с пола, чем-то, наподобие ушной палочки, и отправлял все в пробирку.

— Если все всем ясно, зачем это?!

Саша всхлипнула возле открытой двери дедовой квартиры. Там активно кто-то что-то делал, был слышен стук передвигаемой мебели и голоса. Целый хор голосов!

— Не могу! — Она уперлась пятками в порог квартиры, обернулась на бледного Ломова: — Витя, не могу!

— Надо, Саша, — довольно-таки грубо он втолкнул ее в квартиру, крикнув ей вслед: — Принимайте, господа полицейские. Это внучка убийцы...

Все вопросы, которые ей потом задавали, и собственные ответы — несуразные, сумбурные, никому не нужные — совершенно не вспомнились на следующее утро. Все тот же хор голосов остался в памяти, мелькание чужих лиц перед глазами. Калейдоскоп просто лиц! Симпатичных и не очень. Озабоченных и раздраженных. Ей даже представлялись, кажется. Даже кто-то жал ей руку, призывая держаться. Все комом, все смутно.

Ничего не вспомнилось с такой болезненной четкостью, только Витькины слова.

— Это внучка убийцы! — крикнул он почти с облегчением, видимо, от мысли, что миссия его завершена. Он и правда потом куда-то исчез. — Это внучка убийцы...

Саша заворочалась на диване, села. Обнаружила, что всю ночь проспала в тех же высоких кроссовках, в которых шла вчера через улицу, и в пуховике. Она даже не расстегнула его и пояс не развязала. Теперь у нее ныли все бока и живот. Или это не от пояса, а оттого, что не хватало дыхания? Как она очутилась дома?

Саша поставила на коленки локти, осторожно пристроила гудящую болью голову на сцепленные пальцы, постаралась вспомнить.

Она говорила с кем-то. Так? За ней записывали. Какой-то парень, высокий, веснушчатый, он смотрел на нее с сочувствием. И даже подал ей стакан воды, когда у нее перехватило горло. Потом она снова говорила, но уже с другим человеком. Среднего роста, с крепкими мышцами, цыганистого вида молодой мужик смотрел на нее без сочувствия. И зачем-то задавал ей вопросы про Соседову Аллу Юрьевну.

— При чем тут Алла Юрьевна? — возмутилась она в какой-то момент.

Конечно, он ответил ей, что здесь вопросы задает он, а ей следует не капризничать, отвечать и все такое. Потом спросил про Сашу Горячева. Когда она с ним в последний раз виделась.

— Давно, — честно ответила Саша.

— И не общались вовсе?

— Он звонил мне сегодня, — вспомнила она. — Мы говорили с ним как раз тогда, когда Ломов пришел мне сообщить...

Ей снова перехватило горло. И снова ей подал стакан воды тот парень в веснушках.

Что было потом? Потом она что-то подписала и пошла домой. Нет, не так. Кажется, ее кто-то провожал до дома. Она точно помнит, что чья-то чужая рука открывала ключом дверь ее квартиры. Кто-то ее провожал. Кто?!

— Ни черта не помню, — пожаловалась Саша своему смутному отражению в громадной плазме телевизора. — Кто это был?

Тот, кто провожал ее поздно ночью до дома, позвонил ей через час. Все это время она безуспешно пыталась найти выход своему горю в слезах, но они вдруг исчезли. Тошнотворные спазмы разрывали желудок, сотрясали грудную клетку, а слез не было. Саша приняла душ, сварила себе кофе, потом еще и еще. Пила чашку за чашкой, сидела в углу в кухне и тупо рассматривала сетку дождя за окном, накрывшую город. Почему-то от того, что шел дождь, было немного легче. Яркий контраст солнечного дня она бы точно не пережила.

— Александра? — Номер на мобильном был неузнаваем. Голоса она тоже не знала. — Воронцова?

— Да, — подтвердила она, не моргая, рассматривая заплаканное окно.

— Это Данилов, Сергей Данилов.

— Мы знакомы? — Она попыталась вспомнить, кто это, но не смогла. — Простите, но...

— Ничего, все в порядке. Я провожал вас вчера ночью до дома. Я руководитель следственной группы. Веду расследование по факту... — Он ненадолго замялся, но потом уверенно продолжил: — По факту трагедии, разыгравшейся вчера по известному вам адресу.

— А-а, понятно. — Саша допила остатки кофе пятой уже по счету чашки. — Простите, как вы выглядите? Я ничего не помню из вчерашнего. Простите.

— Я? — Кажется, он растерялся. — Обычно я выгляжу.

— Это вы с веснушками? — решила она ему помочь.

— Нет. Это Игорь Мишин. Мой помощник.

— А-а, понятно. Вы тот самый жесткий следователь, задавший мне вчера крайне много неуместных вопросов про мою начальницу Соседову Аллу Юрьевну. — Саша подперла щеку кулаком, не переставая таращиться на стекло. — Так и не могу понять, зачем? Кстати, а вашему помощнику передайте от меня большое спасибо. Он дал мне воды... Как раз тогда, когда я в этом особенно нуждалась. — И вдруг, совершенно без переходов, Саша спросила пугающе чужим голосом: — Когда я смогу похоронить деда?

Данилов озабоченно крякнул и принялся что-то лопотать про необходимость дополнительных экспертиз. Это займет какое-то время. Что кое-что для него лично остается непонятным. Ему еще надо поговорить с соседями. С каждым, лично! И что как только будет возможным, ей сообщат.

— Когда?! — перебила она его.

— Думаю, не раньше чем через неделю.

— Твою мать! — ахнула она, забыв о приличиях. — Он... он прожил честно и благородно! Он кадровый военный! У него было, есть и остается имя... Честное имя! Он заслужил быть преданным земле в положенное по христианским законам время. Вы... вы все чудовища! Ненавижу вас!..

Она отключила телефон. Совсем отключила, швырнув его на кухонный подоконник.

Через полчаса, вдоволь наревевшись и нарядившись в серый спортивный костюм и все те же кроссовки, в которых проспала ночь, синюю ветровку с капюшоном, Саша вышла из дома.

Плевать ей на все их расследования, вместе взятые! На экспертизы и прочее! Она сама, сама опросит всех свидетелей! Она сама станет говорить с людьми, которые гладили ее по голове еще в раннем детстве, жалели ее, когда она осиротела, и нахваливали, когда она подрастала. Она вытрясет из них всю правду! Она добьется! Узнает, почему дед выстрелил сначала своим соседям в головы, а потом себе. Она узнает, будьте уверены!..

ГЛАВА 7

Губин вызвал его к себе, не дожидаясь совещания, которое было назначено на три часа дня. Данилов только развернул пропитанную маслом бумагу, намереваясь проглотить аппетитный кусок жареного куриного филе, зажатого между двумя кусками хлеба, листьями салата и длинными полосками маринованных огурчиков, как генерал его потребовал к себе. Срочно!

— Черт! — зло выругался Данилов, снова заворачивая шикарный теплый сэндвич. — Даже поесть не дают! Что за чертова жизнь?

Он убрал сверток в стол, вытер руки влажной салфеткой, попросил Игоря Мишина съездить в морг за результатами экспертизы по делу о двойном убийстве и самоубийстве старика и пошел к генералу.

Губин торчал в кофейном углу — так он называл тумбочку, на которой стоял чайник с чашками и в которой он хранил запасы кофе, сахара, чая и домашней выпечки. Его ежедневно снабжала ею супруга. Секретаршу к своим чашкам он не допускал. И считал барством, когда загруженный работой человек только и делает, что подает начальству «кофий». Так и говорил — «кофий».

«Я по полтора чайника за день выпиваю. Что же, Ниночке (так звали его секретаршу) теперь на месте из-за этого не сидеть?»

— Чай будешь, Данилов? — спросил генерал вместо того, чтобы ответить на приветствие.

— Никак нет! — Данилов шумно сглотнул слюну, вспомнив про теплого жареного цыпленка с хлебом и овощами, поджидавшего его в ящике стола.

— Не спеши отказываться. Мне тут жена сегодня хвороста напекла. Я больше не знаю никого, кто бы пек такой хворост!

Генерал злобно уставился на Данилова. Как если бы тот знал такого умельца, потому и отказывался.

— Чай с сахаром или без? — задал следующий вопрос генерал.

— С сахаром.

Данилову было неудобно, что Губин взялся угощать его чаем. Но тот вернулся к столу с единственной чашкой в руках, из которой тут же принялся прихлебывать.

— Ты не стой, Данилов, не стой столбом. Налей себе чай-то. Хворост в верхнем ящике. А вот что сахар в чай кладешь, молодец. Придумали тоже моду, без сахара чай-кофе пить! Западные все штучки. Там-то оно понятно почему, все от экономии. Если пирожное сладкое, можно в чай сахар не класть, можно сэкономить. Нам-то их привычки зачем? Так, Данилов?

— Не могу знать, товарищ генерал. — Данилов быстро налил себе чаю, выдвинул верхний ящик тумбочки, взял три витые палочки хвороста, сел за стол для переговоров. — Просто люблю чай с сахаром, и все.

— А надо бы знать, Данилов, — с неудовольствием подвел черту генерал и поставил пустую чашку на край стола. Даже огненный чай он выпивал в три глотка. — Надо бы знать, откуда привычка такая взялась: пить чай без сахара! А то мы так, кивая на западных диетологов, додумаемся и до борща без мяса! Н-да... Что скажешь по существу вопроса?

— Про борщ?

Данилов как раз доедал последнюю хворостинку и мысленно пожелал супруге генерала здоровья и неиссякаемой энергии. Чтобы она еще долгие годы радовала своих близких такой выпечкой. Ничего подобного в самом деле он никогда прежде не пробовал. Хворост был потрясающим!

— Про какой борщ, Данилов?! — хлопнул ладонью по столу Губин, властно поджав рот. — Про вчерашнюю стрельбу спрашиваю!

— Извините, товарищ генерал, — покаялся Данилов с виноватой улыбкой. — Хворост просто... выше всяких похвал!

— Ну вот, а то, говорит он тут, понимаешь... — пробормотал Губин, скупо улыбнувшись. — Ну?

— На первый взгляд картина ясна, — проговорил Данилов, поигрывая пустой чашкой. — Старик разбирал старые вещи, не нашел наградного пистолета. Разъяренный, кинулся к соседям. Они давно и прочно конфликтовали. Это подтвердили все из опрошенных жильцов подъезда.

— Так... Дальше.

— Они посканделили. Старик вернулся к себе.

— Пистолет потом нашелся, как я понял?

— Видимо, да. Раз из него были убиты его соседи. И потом застрелился он сам.

— А что так неуверенно, Сережа? Что тебе не нравится?! — Губин повысил голос, и сделался он у него сердитым. Он так не любил никаких осложнений, так не любил. — Снова станешь искать черную кошку в черной комнате?! У тебя двое отравившихся на этой фирме с дурацким названием! Вот чем тебе первостепенно надо заниматься, Данилов! А этот бытовой конфликт яйца выеденного не стоит! Не сто-ит! — закончил генерал по слогам. — Что?! Что еще?!

— Дело в том, товарищ генерал, что этот бытовой конфликт... он как бы... он как бы попадает в сферу интересов этой самой фирмы с дурацким названием.

— То есть?!

— Застреливший соседей гражданин Воронцов Михаил Севастьянович является...

— Кадровым военным, знаю, знаю, — замахал в его сторону руками Губин. — Уже звонили, просили не поднимать лишнего шума. Никакой прессы и все такое.

Он уже пожалел, что вызвал Данилова до совещания. Теперь не успеет чаю с хворостом выпить. А потом уже будет и не к чему. Потом уже к ужину надо себя готовить. Супруга обещала что-то невероятное. Какое-то блюдо из рыбы. И велела аппетит беречь.

— И еще он является дедом Воронцовой Александры Михайловны.

— Что это — и дед Михаил и она Михайловна? Отец, что ли, был тоже Михаилом?

— Так точно!

— И что дальше?

— А эта Воронцова была изгнана из фирмы, где у нас обнаружилось двое отравленных.

— Опа! А за что?

— Подозревали в промышленном шпионаже. Нашли при обыске у нее в сумочке диск с информацией. Но Соседова — это хозяйка и директор фирмы — не верит в ее виновность. И отправила ее в долгосрочный отпуск. Пока Александра была в отпуске, не зная ничего о своей дальнейшей судьбе, кто-то отравил секретаршу и зама Соседовой. Но все указывает на то, что хотели отравить саму Соседову.

— И что? И дед ее тут при чем?

— Не знаю, — задумался Данилов. — Как-то не нравится мне вся эта концентрация зла вокруг Александры Воронцовой. Как-то неправильно все вокруг ее головы сгустилось. Сначала ее подставляют, это по утверждениям той же Соседовой. Потом, когда ее имя вдруг всплывает на последнем совещании чистым и незапятнанным, это Соседова во всеуслышание объявила, вдруг дед Воронцовой творит такое. Как-то неправильно, как-то... не нравится мне это.

— Ну а сама-то внучка что говорит про деда? Как комментирует его дикую выходку?

— А никак! Ее ночью знакомый привел на место происшествия. Еле довел, она сама не своя.

— Что еще за знакомый?

— Хозяин дежурного магазинчика. Они знакомы. Он узнал страшные новости от покупателей, уточнил и тогда уже пошел за Воронцовой. Она, когда пришла, ничего толком не могла сказать. Что-то бубнила, ворчала, плакала. Даже место осмотреть на предмет пропажи чего-либо ценного не смогла. Надеюсь, сегодня ситуация будет получше.

— Откуда такая уверенность?

— Я звонил ей. Говорил.

— А она что?

— Ругается.

— Уже хорошо, — удовлетворенно кивнул генерал.

Он уже пожалел, что не спрятал хворост в верхнем ящике стола и оставил его в тумбочке. Сейчас бы таскал потихоньку. Данилов бы даже и не заметил, как он слегка похрустывает.

— Да, пусть ругается. Это лучше, чем плачет.

Данилов болезненно сморщился, вспомнив вчерашнюю длинноногую девицу в зимних кроссовках на босу ногу и в зимнем пуховике, перетянутом так, что у нее, казалось, глаза сейчас повылазят. Хотя, конечно, от страха были ее глаза велики. От страха и потрясения.

— Орудие убийства и самоубийства она опознала?

— Так точно. Деда ее к ее приходу уже увезли. Опознавать пришлось соседям. А вот что касается пистолета, то да, опознала.

— Уже хорошо. Ты это, Данилов... — Генерал выбрался из-за стола и мелкими шажками прошел в кофейный угол, выдвинул ящик, воровато схватил три хворостины и вернулся на место. — Ты все же поделикатнее с ней. И когда станешь говорить с соседями еще раз... Ты ведь станешь с ними говорить еще раз, Данилов?

— Так точно, товарищ генерал, — вздохнул Сергей.

Генерал безошибочно разгадал его намерения. Он собирался еще раз всех опросить. Только вопросы собирался задавать немного другие.

— Так вот, когда станешь с соседями говорить, то как бы так вскользь упомяни, что Воронцов был и остается уважаемым человеком. Просто нервы, старость. Ну... Сам знаешь, что надо говорить в таких случаях.

— Ага! Стало быть, я должен выглядеть сочувствующим?

Это порадовало. Деда, в чьей квартире царил армейский порядок, росли диковинные цветы и пахло свежестью, Данилову было по-настоящему жаль. Ну, сорвался старик, может, и правда довели. Стрелять, конечно, не следовало, но... Кое-кто утверждал, что эти Лопушины, как поселились, начали изводить старика своими придирками. Он, мол, и заявление на них пытался писать в отделение полиции. Все без толку.

Мишин должен был сегодня с утра позвонить и проверить, ходил с жалобами на супругов в полицию старик Воронцов или нет.

— Да и... бытовой конфликт, не бытовой, ясно там все или нет, но все же пробей этих Лопушиных:

кто такие, откуда, родственники и все такое. Кто-то же их должен хоронить, так?

— Так точно, товарищ генерал! — Сергей поднялся, взял чашку со стола в руки, намереваясь пойти, вымыть.

— Ой, вот только не надо, Данилов, мне тут козырять! — поморщился Губин и махнул рукой в угол. — Ты чашку-то поставь. Без тебя вымоют. Хлопотун нашелся. Ты знай, где хлопотать-то надо! Ступай. На совещании разрешаю тебе отсутствовать. Лучше завтра с утра с результатом приди. Идет?

— Идет, товарищ генерал.

Данилов болезненно поморщился, выходя за дверь.

С результатами! Где их взять?! Разорваться ему, что ли?! Стоящей версии по двум отравлениям у него нет, тут еще сразу трое покойников. Думай теперь и гадай, имеет ли все это отношение к происшествиям на фирме, где работала Саша Воронцова, или нет.

Соседова вот когда узнала, что, предположительно, хотели отравить ее, а ее зам и секретарша погибли по ошибке, разразилась сначала диким хохотом, а потом сердито указала им на дверь и попросила делать свою работу профессионально, а не выдумывать всякую чепуху и тем самым не отрывать ее от работы.

— У меня, конечно, есть конкуренты, Сергей Игнатьевич. Даже недруги имеются. Я достаточно большая девочка...

Данилов тогда подумал, что чрезвычайно большая, килограммов под сто десять будет точно.

— Но чтобы кто-то желал мне смерти... Нет, на моем поле таких игроков нет. Нет и быть не может, — категорично взмахнула она руками. — И как, простите, и кто мог бы это сделать, если я пила из этого кофейника и осталась в живых?!

— Предположительно, ваш кофе отравили уже после того, как вы его выпили.

— В момент совещания, что ли?! — вытаращила она на Данилова безобразно накрашенные глаза.

— После. После совещания люди сновали вокруг стола, на котором стоял кофейник, как кому вздумается. У нас есть свидетельства ваших сотрудников. Кто-то из них и всыпал яд в кофе, прекрасно зная о вашей привычке допивать остатки напитка после того, как все уйдут.

— А ушла я вместе со всеми. Этого никто не ожидал, — выдохнула потрясенная Соседова. — Нас тут вместе со мной оставалось четверо. Чашку сначала подхватил Заломов, у него ее выхватил Савельев, а Горячев... Горячев оставался чуть в сторонке. Думаете, это он?! Он отравитель?

Вот тут однозначного ответа у Данилова не было. Он разговаривал с Горячевым. Решил, что он слабый и безвольный. И что, если и пришла кому-то в голову идея всыпать яду в кофе Алле Юрьевне, это точно была не его голова.

Но проверять все же стоило. Всех проверять. Вот придет окончательная экспертиза, что это за яд такой, убивающий не вдруг и не сразу, а постепенно, где-то в течение тридцати-сорока минут, тогда и станут искать человека, у которого был доступ к этому веществу.

А пока он снова навестит соседей злополучного подъезда, где вчерашним вечером случилась стрельба, унесшая жизни сразу трех человек.

Он как раз ехал вдоль ровного ряда позолоченных сентябрем ив, когда ему позвонил Мишин.

— Что скажешь, Игорек? Чем порадуешь? — Данилов подкатил прямо к подъезду, возле которого на лавочке сидели четыре пожилые женщины.

— Пока нечем, Сергей Игнатьевич. Жду. Господа-патологоанатомы обедают-с. Велели-с ждать-с.

— А предварительно? Предварительно не было ничего такого интересного?

— Ну что, предварительно... Сказали, что все трое были застрелены из одного оружия. Найденные гильзы соответствуют и так далее.

— Уже хорошо. Орудие убийства есть. Дальше?

— Супруги умерли от смертельных выстрелов в голову. У них не было шансов. Старик тоже не мучился. Аккуратная дырочка в виске.

— Что так неуверенно про дырочку?

— Так, Палыч... — Это был старший судмедэксперт, въедливый и противный мужик, вечно ставивший в тупик следствие своими выводами. — Палыч утверждает, что выстрел был произведен с расстояния тридцати-сорока сантиметров.

— То есть?! — Данилов насторожился.

— Кожа вокруг раны не опалена. Он говорит, так не бывает, когда ствол прижимают к виску.

— То есть он хочет сказать, что старик стрелял себе в голову, отведя руку со стволом на полметра?! Так, что ли?

— Да ничего он не хочет сказать, товарищ подполковник! — воскликнул Игорек. Меньше всего ему хотелось быть испорченным телефоном. — Просто говорит, что подобная рана свидетельствует не в пользу самоубийства, и все. А так... Может, старик стрелять себе в голову и не хотел? Рука дрогнула, и палец нажал на курок, так ведь?

Нет, не так, Игорек. Данилов озадаченно качнул головой, велел ждать окончания обеда у сотрудников морга и отключился.

Нет, не так! Он за все время своей работы не встречал еще ни разу случая, чтобы человек стрелял себе в голову с отведенной на полметра рукой. Идиотизм же, ну! Он мог промахнуться, мог прострелить себе плечо, руку, пальнуть в стену, в конце концов.

Скорее всего, старик не хотел себя убивать. Скорее всего, это была случайность. Несчастный случай.

Надо думать.

Данилов вылез из машины, поздоровался с женщинами, представился, показав удостоверение.

— Я вас помню, — авторитетно кивнула одна из них, в переднике, расцвеченном яркой ромашкой. — Вчера вы ночью приезжали.

— И я тоже вас помню. — Он кивнул в сторону подъезда: — Хотелось бы кое-что уточнить, прежде чем...

— Прежде чем доброго человека мерзавцем закапывать! — фыркнула вторая. Ее Данилов не помнил, видимо, вчера ее здесь не было. — Нашел из-за кого себе в голову стрелять. Э-эх, Севастьянович, Севастьянович... Была бы Лийка жива, разве бы позволила этим хамам так над тобой измываться!

Четыре головы синхронно закивали в такт ее словам.

— Считаете, что погибшие Лопушины издевались над гражданином Воронцовым? — Сергей присел на край скамейки, положил согнутые в локтях руки на колени. — Лийка — это кто?

— Мишина жена покойная. Ох, зверь была баба! Огонь! — не без восхищения отозвалась первая женщина в ярком переднике, что вчера давала показания. Кажется, именно она и обнаружила тела, заметив распахнутые настежь двери. — Она бы этих быстро к ответу призвала! А Миша... Миша был мягкий деликатный человек. Он не мог с ними откровенно конфликтовать.

— Да и правда! — вдруг со злостью процедила третья от Данилова женщина с высокой прической седых волос, перетянутых ажурной косынкой. — Конфликтовать-то зачем? Лучше сразу поубивать, и все! Что же за жизнь пошла, а? Чуть что, так сразу за пистолеты хватаются! На улицу выйти страшно стало!

— Лопушины вон и дома сидели, Валь, их дома и застрелили. Не убережешься, — обреченно выдохнула последняя, с короткой стрижкой под мальчика и крупными серьгами кольцами в ушах. — Судьба, видать, у них такая!

Они вдруг все вместе загалдели, заспорили, что есть судьба, а что злой умысел. Данилову сделалось скучно. Информации ноль. Кроме разве той, что Воронцова все считали здесь мягким, неконфликтным человеком. И вдруг насторожился, поймав конец фразы, оброненной дамой с крупными кольцами в ушах.

— Что вы сказали про Лопушиных?

— А что я сказала? Ничего такого, — она как-то сразу перепугалась, подскочила со скамейки и попыталась уйти.

Но Данилов ее остановил.

— И все же. Что вы только что сказали про Лопушиных? — повторил свой вопрос коротко стриженной макушке Данилов. Женщина, как школьница, низко наклонила голову.

— Ой, да ничего особенного она не сказала, — вступилась за соседку женщина с высоким коконом, упакованным в кружево. — Просто сказала, что раньше они и не Лопушины были, а Верещагины. Вернее, Иван был Верещагиным. Про Валю не знаем. А что Иван был Верещагиным — это сто процентов. Может, потом Валину фамилию взял?

— Ладно болтать-то, — фыркнула первая дама, присутствующая накануне на месте происшествия. — И Валька была Верещагиной. Я у нее спрашивала: чего, говорю, фамилию-то поменяли? Чего-то сморозила такое... — Женщина недоверчиво вывернула рот, приподняла плечи и качнула головой. — Что, мол, замуж выходила после Вани, фамилию меняла, потом снова они сошлись, и фамилию Ваня ее взял. А когда успела-то? Когда, если три года назад она все еще была Верещагиной. Моя сноха у нее рожала в сто восемнадцатом роддоме. Чудные они, эти Верещагины-Лопушины. И...

— И вредные, — закончила за нее дама с кольцами, набравшись смелости и снова подняв на Данилова взгляд. — Мишу донимали, и еще как. И не одному Мише доставалось.

— А кому еще?

— Так Филонова спросите. Это наш начальник ЖЭКа. Он тут на днях после их визита корвалол пил. Довели они его очень. Ванька-то, когда выходил, очень довольно скалился. Я после них как раз зашла к нему, а Филонов себе в стакан из пузырька-то лекарство и капает. И все шепчет: сволочи, сволочи... Правда, он передо мной с кем-то по телефону говорил. Может, в телефоне сволочи какие были, не могу знать. У него спросите, у Филонова.

Про Филонова Данилов кое-что слышал от коллег. Фамилия была на слуху. Несколько раз тот попадал под подозрение в деле с квартирными аферами, но всякий раз ему удавалось соскальзывать. Знал, что в дружках у того ходили сомнительные личности и что дружбе той многие лета. И что на место начальника ЖЭКа сел Филонов, чтобы в другое место, намного отдаленное, не сесть. Что устроили его туда по просьбе и за великий откат крутой братвы. С целью? Опять все версии склонялись к квартирному вопросу. Доказательной базы вот только пока не было.

Если он после визита Лопушиных пил корвалол и обзывал их сволочами, можно предположить, что супруги его задели за живое? Можно, конечно. Только как доказать. Его самого спросить? Так разве скажет. Скользкий тип.

— Тут весь вчерашний день дружки-то Женькины во дворе крутились, — вдруг вспомнила женщина в кружевной косынке. — Машина во-он там стояла.

Данилов проследил за ее пальцем, указывающим на укромное место с краю стоянки у кустарника, с которого прекрасно просматривалась вся территория двора.

— Когда, говорите, они тут появились? — Сергей задумался: история выходила скверная.

— Вчера с утра. И стояла до вечера. Зять ко мне обедать ездит, работает рядом. И это место, — ее палец снова ткнул в сторону кустарника, — его! Он там всю жизнь машину ставит. А эти растопырились! Видал, хозяева! Хотела их разогнать, да зять не разрешил. Мать, говорит, ты на рожи их глянь! Рожи и правда о-го-го.

— И Филонов с ними дружит?

— Крутятся они всю дорогу возле ЖЭКа. Подвозили его на этой машине. И эти, и еще другие. В кабинет-то к нему идут как к себе домой. Сидим мы в коридоре, нет, им дела нету. Рожи бандитские! — Ее руки подрагивали, когда она поправляла кружево косынки на высокой прическе.

— Значит, появились они с утра?

— Да, часов с десяти.

— А уехали?

Женщина задумалась, нахмурив лицо. Но не вспомнила, достала телефон и принялась звонить сначала зятю, потом дочке. Они, оказывается, у нее не только обедали, но еще и ужинали после работы.

— А сразу после стрельбы и уехали, — аккуратно закрыла она крышечку мобильного. — Дочка говорит, что после того, как в подъезде отгрохотало, место зятя на стоянке и опустело. Только номеров-то мы не помним. Никто! — сказала как отрезала она. — Так-то, гражданин следователь... Тут еще разбираться и разбираться надо. Сашка-то не зря сегодня с утра все по нам шныряла. Не верит она, что дед убийца. Не верит...

Этого еще не хватало! Данилов вскочил со скамейки.

— Александра Воронцова решила самостоятельно разобраться во вчерашнем убийстве, я правильно понял? — Он встал, подбоченившись, перед женщинами. То ли на улице было душно, то ли от бешенства ему воздуха не хватало. — Она с утра ходила по квартирам и задавала вопросы, я правильно понял?!

Ответа не последовало. Все четверо молчали минут пять, озабоченно рассматривая разрисованный мелками асфальт под ногами. А потом у них вдруг стремительно появились всякого рода дела. Кто-то не доварил варенье из тыквы с курагой. Кому-то срочно потребовался именно этот рецепт. Кто-то так и не прокрутил мясо, а на ужин приедет дочка с зятем, тот очень котлетки ее уважает. Это женщина в кружевной косынке внезапно вспомнила о гастрономических пристрастиях своего зятя. Дама с огромными кольцами в ушах принялась тыкать пальцем в мобильник, и вид у нее при этом был чрезвычайно озабоченный.

— Черт знает что! — выругался Данилов им в спины, поочередно исчезавшие за железной подъездной дверью. — Ладно, не хотите по-хорошему, вызову повесткой...

Угроза не подействовала. Никто не вернулся. Он снова присел на скамейку, расстегнул две верхние пуговицы на рубашке — утренний дождь сменился удушающе влажной жарой. Сейчас бы на море — тут же с сожалением вспомнил он загубленный отпуск. А вечером на рыбалку. А потом рыбку в котелок и... И набрал номер Игоря.

— Ну, что там у тебя?! — заорал он на Мишина, который ответил лишь с третьего раза.

— Ничего хорошего, товарищ подполковник, — тихо, почти шепотом, проговорил Игорек.

— То есть?!

— Не стрелял себе в голову Воронцов. Так получается.

— Ты чего мелешь?!

Данилов широко распахнутыми глазами уставился в задние фонари грузовой «Газели», вставшей поперек дороги для выгрузки. Как он, интересно, теперь поедет? До вечера будет торчать, пока дядя с лохматой головой в несвежей рубашке перетаскает в свой магазин коробки с товаром? Кажется, это он вчера привел внучку убийцы.

К слову, это вдруг взялось под сомнение. И кем? Игорьком Мишиным!

— Да я-то тут при чем, Сергей Игнатьевич? — испуганно принялся оправдываться Игорек. — Не нашли следов пороха на его руках наши патолого-анатомы. Ни на левой, ни на правой!

— А на левой зачем искали, пистолет был в правой руке, — проворчал Данилов, вставая со скамейки и двигаясь в направлении к магазину — очень ему вдруг захотелось с дядей пособачиться.

— А доктор говорит, что по признакам старик был левшой. Все равно, конечно, требуется уточнить у родственников погибшего. Но... но следов пороха на руках не обнаружено, Сергей Игнатьевич. Как быть-то?

Данилов отключился. Он как раз подошел к машине, перегородившей проезд. И дядя с лохматой головой как раз вышел из магазина за очередной коробкой.

— День добрый, — с сурово сведенными бровями поздоровался Данилов. — Вам кто позволил преграждать проезд?

— Твою мать... — едва слышно выругался мужик и швырнул коробку с товаром обратно в кузов. — Никого же нет!

— Я есть!

Данилов сцепил зубы. Внутри все разрывало от злости. Бытовой конфликт, который ему надлежало деликатно замять для средств массовой информации из уважения к покойному, превращался в премерзкое преступление. Там могло быть десятка три подозреваемых. Включая друзей небезызвестного всем Филонова, а также и всех тех, кому было известно о конфликте Лопушиных и старика Воронцова. Кого арестовывать?!

Тут еще хозяин магазина со своей машиной!

— Извините, гражданин следователь, — миролюбиво улыбнулся лохматый мужик и полез в кабину со словами: — Я сейчас отгоню.

Данилов и не подумал вернуться к своей машине, оставленной возле пустующей теперь скамейки. Вцепившись в пряжку ремня обеими руками, он наблюдал, как «Газель» нагло перепрыгивает через бордюрный камень передними колесами, мнет кустарник передним бампером и останавливается, все равно не давая никакой возможности проехать его машине.

— И чего?! Как я поеду?! — заорал на него Данилов. — Чего, другого способа нет для выгрузки?!

— Нет. — Мужик встал перед ним с виновато опущенной лохматой головой. — Все уж продумал, никак не выходит. С какой стороны не подъеду, все равно я всем помеха.

— И вчера выгружался? — Данилов посмотрел на время: было половина пятого.

— Да.

— В это же время?

— Так точно, гражданин следователь.

— Никого подозрительного не видел?

— В каком смысле? — Несимпатичное лицо Ломова позеленело от волнения и вытянулось, сделавшись похожей на незрелую дыню. — В смысле, подозрительного?

— Ты ведь тут всех почти знаешь, так? В этом доме, — Данилов показал на дом старика Воронцова. — И в этом, — он кивком указал на Сашин дом.

— Нет, незнаю! — Его голова заметалась из стороны в сторону. — Кого я тут могу знать-то?! Мало с кем знаком.

— Но покупатели-то к тебе ходят всегда одни и те же. Так?

— Ну... Вроде того. Кто за чем.

— Погибших супругов знаешь? Лопушиных?

— Лично незнаком, — скупо обронил Ломов и кивнул на Сашин подъезд: — Сашку знаю лично. Потому как скандалил с ней неоднократно.

— На предмет?

— Тоже из-за нее, — Ломов обласкал взглядом задние фонари своей машины. — Она вечно возмущалась. Противная... Извините...

— Что обычно покупали Лопушины? — решил зайти Данилов с другого края. — Они ведь ходили в твой магазин?

— Ходили. А покупали... — Ломов поскреб в макушке. — Девчата-продавцы говорили, что всего понемногу.

— Вчера были в магазине?

— Были по очереди. Я почему знаю, подменял одну нашу вечно влюбленную. — Ломов выругался. — Как найдет кого, так неделю на работу не ходит, стерва. Извините...

— Что покупали?

— Ну... Баба с утра купила колбасы немного. И батон хлеба. Мужик потом молока купил, кажется.

— По одному, стало быть, ходили? Понятно. Ничего подозрительного не было? Настроение там, здоровье. Все как всегда?

— Ну да. Обычно все. — Ломов вдруг сморщил лицо, кажется, попытался улыбнуться: — Гражданин следователь, можно я все же выгружусь, а? У меня сегодня неурочная выгрузка, скоро конец рабочего дня, народ домой попрет, вообще мне тогда труба!

— Ладно, валяй, я все равно на своей тачке не проеду.

Он повернулся, чтобы уйти, когда Ломов его снова окликнул.

— Знаете, а они не совсем поодиночке-то приходили. Их этот мордатый провожал. Сначала бабу, потом мужика. Мужик-то ничего, спокойный был, когда этот следом зашел за ним в магазин и в спину начал дышать. А вот баба нервничала. Хоть и старалась не показать, но я-то видел. Даже сдачу не стала считать, хотя всегда с девками из-за десяти копеек грызлась.

— Что за мордатый? — Данилов понял, о ком идет речь. Он остановился, взглянул требовательно на Ломова, уже успевшего перепрыгнуть бордюр обратно на своей машине.

— Так это Женьки Филонова приятели. Они тут вчера весь день проторчали во дворе. Пару раз второй — не этот, что Лопушиных провожал, а другой, — минералку покупал и пачку сигарет.

— Опознать сможешь?

— А чего их опознавать-то? Чего сразу я-то?! Их тут все видели! Они и не прятались! — перепугался сразу Ломов.

Он тут же нырнул с коробкой в нутро магазина, искренне полагая, что мент наконец отцепится. Но Данилов был настырным, он остался стоять возле распахнутого кузова «Газели». И когда Ломов вернулся за очередной коробкой, схватил его за рукав.

— Слушай, мужик, — прошипел он ему в лицо, снова, как по волшебству, превратившееся в недозрелую дыню с глазками-семечками. — Или ты отвечаешь на мои вопросы, или я завтра прикрою твою точку!

— Да за что?! Да что я такого...

— Да хотя бы за то, что ты регулярно нарушаешь правила дорожного движения и вот сейчас на моих глазах въехал на газон, — удовлетворенно улыбнулся Данилов. — Ну! Что за мужики? На какой тачке были?

Ломов в сердцах швырнул коробку с товаром прямо себе под ноги. Минуты три корчил рожи, пытаясь разжалобить Данилова. Ничего не вышло, Ломов вздохнул.

— Я же говорю, Филонова это были приятели, — проговорил он едва слышно. — По именам не знаю. Видел не раз, как они крутились возле ЖЭКа, в машине с Филоновым видел их тоже. И все.

— Машина какая была?

— Темно-серая «Шкода», седан, номера три двойки, серию не помню, — еще тише отчитался Ломов и попятился к своей машине. — Гражданин полицейский, вы только не говорите им, что это я. Ну... что я авто их назвал.

Данилов с ухмылкой наблюдал за перепуганным Ломовым.

Вот что за люди, а?! Как он не терпел этих живущих в крайней хате, которые ничего не желали знать! Как еще за внучкой-то догадался сходить, когда ее дед застрелился. Может, интерес какой корыстный имелся, а? Может, понравилась ему эта симпатичная девушка и...

Так, стоп! Дед-то, получается, не сам застрелился, раз на его руках не обнаружено никаких следов и характер ранения весьма странный. Дед же не мог надеть перчатки. Выстрелить себе в голову, а потом перчатки снять и спрятать их где-нибудь. Не мог. Так что, Данилов, торчать тебе без отпуска в городе еще месяца два, а то и больше. Не будет тебе рыбалки на Азовском море в бархатный сезон. И жареной рыбки с луком и чесноком на костерке не будет. А все из-за чего? Из-за того, что на той фирме, где работает или работала Александра Воронцова, два человека были отравлены. А потом ее дед учудил.

Или не дед...

— Гражданин полицейский, — с маетной улыбкой заныл Ломов и махнул рукой куда-то себе за спину: — Вы бы лучше запись камеры с магазина моего посмотрели. Может, увидали бы чего там интересного, а? Может, филоновские дружки и ни при чем вовсе, а? Может, они тут так просто стояли, а?

— Весь день?

— И че? — Ломов отвернулся, схватился за коробку в кузове «Газели» и подтащил ее к самому краю. — Я, может, пацанов оговорил. А они, может, правильные пацаны-то. По понятиям.

— Ладно. Идем, будем оформлять изъятие записей с твоей камеры. Понятых ищи...

— Чего сразу понятых-то? — ахнул Витек, приседая с коробкой.

Вот кто его за язык тянул, идиота?! Промолчал бы и камеру тихонько снял после того, как мент уехал. Задали бы вопросы, сказал, что сломалась неделю назад. Кто проверит? Ох, тупая его башка, ох, тупая! Потому и не женат до сих пор, что башка тупая. Хоть и тешит себя мыслью, что не женится от ума великого. Нету его, ума-то, нету...

ГЛАВА 8

Саша на минутку забежала домой, чтобы сварить себе кофе и хорошенько все обдумать. Она успела пробежаться по всем соседям своего подъезда. Кто отмалчивался, скорбно поджимая губы. Нет, мол, ничего не слышали, не видели. Кто жалел ее и деда, выбивая из нее ненужные слезы. Кто откровенно негодовал и запоздало ужасался, что по соседству жил старый и вооруженный до зубов неврастеник.

— Слышала бы, девочка, как он орал на бедных Лопушиных! — возмущались они. — Отдавайте, говорит, пистолет! Воры! Отдавайте! Орал так страшно! Откуда силы в нем столько...

Саша молча отводила взгляд, с силой стискивала зубы, чтобы не наорать на клеветников.

Дед ее в самом деле был очень сильным и кряжистым, но он не был неврастеником, не был! Что-то случилось. Что-то пошло не так. Что?! Как он мог потерять свой пистолет, а потом вдруг найти его?! Это не про деда! Он был очень аккуратным человеком, каждая вещь в его доме имела свое место, каждая! Он не мог выстрелить в безоружных людей! Что бы ни говорили, он не мог!

Кофейная шапка медленно поползла вверх. Саша подхватила турку, чуть тряхнула, снова вернула на огонь. Мысли ее, тяжелые, мрачные, разбухали и теснились, подобно кофейной пене. Она ходила по этажам и квартирам, спрашивала, спрашивала, искала и не находила главного — мотива! Это было так глупо, так нереально глупо, что даже на сон дурной не тянуло.

Потом вдруг кто-то из соседей проболтался, что в день убийства перед подъездом деда весь день дежурила бандитская машина. Весь день сидели в ней дружки начальника их ЖЭКа Женьки Филонова. А про их темные делишки давно уже ходили скверные слухи. Что-то такое творилось с одинокими стариками в их микрорайоне, мор какой-то странный на них нападал. Но квартиры после их смерти не пустовали: вдруг обнаруживались какие-то непонятные наследники, въезжающие в квартиры почти сразу после смерти стариков. Причем наследников этих никто прежде и в глаза не видел. Не гуляли они со стариками рука об руку, не выгуливали их собак, не носили им молока и хлеба из магазинов. Странно все было и зловеще. За всем этим, как шептались по углам, стоял начальник ЖЭКа со своей бандой.

Саша никогда не обращала внимания на этот зловещий шепот. Ее дед не был одиноким, ему ничто не грозило с этой стороны. И вдруг...

И вдруг обнаруживается, что накануне его смерти, буквально за несколько часов, представители этой банды тусуются возле дедова подъезда! Как это понимать?!

Подозреваемые номер один, решила для себя Саша. Тупые, безмозглые, кровожадные и алчные. Вот у кого был мотив избавиться от деда, обставив все таким образом, будто он пострелял конфликтующих с ним соседей, а потом наложил на себя руки.

Она налила себе кофе в чашку, залпом выпила. Налила вторую, подошла к окну и застыла с чашкой возле рта. Тот самый полицейский, который задавал ей отвратительные вопросы отвратительно едким тоном и, оказывается, ночью провожал ее до дома, а утром зачем-то звонил, сейчас собачился с Витькой Ломовым. Витька с несчастным лицом бегал вокруг машины, залезал в кабину, заезжал за бордюр, снова пятился колесами обратно, потом суетливо носился с коробками от машины до магазина. Потом отчаянно мотал головой и махал руками и вдруг повел этого черноволосого следака к себе в магазин.

Зачем? Саша настороженно вытянула шею, пытаясь понять. Осенило почти тут же. Камера!

На Витькином магазине была установлена камера. Саша всегда готова была поклясться, что это муляж. Зная Витькину прижимистость, заставлявшую того самого тягать коробки с товаром, она была уверена, что тот не разорится на видеонаблюдение. Зачем? Магазин работал круглосуточно и без выходных, ему даже на охрану не надо было его ставить. Камера зачем? Но следователь Данилов, кажется, вошел следом за Витькой в магазин и пробыл там двадцать четыре минуты тридцать секунд, Саша нарочно засекала. Что он там делал так долго?

Она еле дождалась, пока он выйдет и через четыре минуты — она снова засекла время — выедет со двора на своем внедорожнике. Тут же выбежала из квартиры, направляясь в магазин.

— Чего он тут делал у тебя, Вить? — пристала она к Ломову, сердито пинающему расползающийся стеллаж из коробок в углу подсобки.

— Кто? — Он едва глянул на девушку, начав пеленать коробки скотчем.

— Следователь, Данилов его фамилия! Что он делал у тебя двадцать четыре минуты тридцать секунд?

— Ты чего делаешь в подсобном помещении, девушка? — Витька, по-прежнему не глядя на нее, с треском отматывал липкую ленту. — Не видела надпись на двери — «Посторонним вход воспрещен»?

— Я не посторонняя! — повысила голос Саша.

— Да?! — Он удивленно глянул на нее, впился зубами в край скотча, надкусил, зафиксировал левый край картонных коробок. — А какая?

— Я... я пострадавшая, Витя. И хорош выпендриваться! Ответь, пожалуйста, что он тут делал?

— А у него че, спросить слабо? — Он злобно зыркнул в Сашину сторону, швырнул моток скотча в угол, где горбатился старенький сервант со всяким бумажным хламом. — Слабо, вижу. Не каждый день твой дед массовое убийство устраивает, так?

Саша стиснула зубы. Она будет молчать, как бы этот гад ни измывался. Информация! Ее интересует только информация! Предупрежден — вооружен! Так всегда говорил дед, уча ее уму-разуму.

— Записи с камер он забрал, — признался Ломов после затянувшейся паузы. — За неделю! И чего я их храню, придурок? Зачем оно мне? И камера зачем? Я их даже не просматриваю, записи эти. Диски меняю и не смотрю.

— Почему? — невольно заинтересовалась Саша, попутно похвалив себя за сообразительность.

Она догадалась, зачем следователь пошел за Ломовым в магазин! Это здорово! Горе не лишило ее рассудительности. Может, ее выводы насчет филоновской банды тоже окажутся правильными? Может, это они все подстроили? И если у деда была наследница и на его квартиру они не могли претендовать, то что насчет Лопушиных? Кто они? Откуда? Есть ли у них родственники, дети? Кому завещана их квартира? Там богато! Она была у них в гостях.

— Почему не смотрю? — прервал лихорадочный бег ее мыслей нудный Витькин голос. — А зачем? Проблем пока, тьфу-тьфу, с магазином не было... Теперь-то кто его знает, как будет! Возьмут меня на контроль филоновские пацаны, не дай бог!

— А с чего это?

— А с того, что этот мент меня достал просто! — неожиданно взорвался Витька гневным фальцетом. — Кто-то ему рассказал, что пацаны возле подъезда твоего деда паслись весь день, он и вцепился. Кто да что?! А я у них документов не спрашивал, между прочим, когда они пасли этих мужа и жену.

Ага! Супругов, стало быть, пасли, а не деда!!! Горячо, Саша, очень горячо!

— А чего пасли-то? — стараясь не обнажать особо своего интереса, спросила Саша. — Охрана, что ли, была к ним приставлена?

— А я что, знаю, что ли? Да вряд ли охраняли-то они их. Баба сильно нервничала, когда они за ней в магазин притащились. — Витька вдруг умолк и принялся ворочать языком, раздувая им щеки, осмотрел Сашу ревнивым взглядом. — А ты чего вообще, Саша, притащилась в подсобку без халата? Не работаешь ведь у меня, а притащилась. Может, пойдешь ко мне в работницы, а? Меня одна продавщица задолбала просто: то ей с ребенком надо в больницу, то посидеть с ним, то, блин, полежать. Может, пойдешь ко мне, а?

— Не пойду.

— А чего тогда притащилась в подсобку? — Его взгляд сделался злым и дерзким. — Возьму и зажму тебя тут, а... Вопросы она тут мне задает, понимаешь!

— Не твой же дед устроил массовое убийство, — пробормотала Саша и выскользнула за дверь.

Бить Витьке морду, — а она так бы и сделала, полезь он к ней с поцелуями, — очень не хотелось.

Несвоевременно это было. К тому же Данилов мог на записях с Витькиной камеры что-нибудь обнаружить. И никто, кроме Ломова, ей об этом рассказывать не станет. Разве Данилов расскажет? Как же! Она для него кто? Она для него внучка убийцы, почти враг.

Она вышла из магазина, оглянулась на дедов подъезд. Сердце мгновенно болезненно сжалось, в животе сделалось пусто и холодно. Пустая скамейка, пыльный кустарник, железная дверь. Дед больше никогда не лязгнет замком и не выйдет на ступеньки, нахлобучивая на макушку матерчатую кепку. Никогда не присядет со старушками на скамейку, чтобы обменяться новостями и вспомнить покойную жену. А он ее почти каждый день вспоминал. Никогда не поставит между пыльных башмаков большую брезентовую сумку, с которой он обычно ходил за продуктами, даже если и нужна была всего лишь буханка хлеба и пачка масла. Никогда не поднимет с асфальта брошенную кем-то сигаретную пачку и не заворчит, швыряя ее в урну возле скамейки. Никогда уже этого больше не будет. Никогда!

Господи, какое горе! Какое же горе ее постигло! Как же так?! За что?! Что она такого могла сотворить, что в наказание ей такое страшное горе?! Понятно, все они не бессмертны, но...

Но почему было деду не умереть в своей старческой постели рядом с тумбочкой, уставленной склянками с лекарством, через много-много лет?! Не упасть — не сейчас, а не скоро — возле дома, сраженным инфарктом?! Не испустить последний вздох на больничной койке лет в сто, почему?!

Страшная, чудовищная криминальная история, участником которой вдруг стал ее законопослушный дед, не укладывалась в голове. Все настойчивее пульсировала мысль, что он погиб случайно. За компанию почти. Или, чтобы скрыть следы преступления, совершенного другим человеком.

— Саша, — позвал ее знакомый голос. — Чего ты тут?!

— А?

Она вздрогнула, вытерла мокрое от слез лицо. Поняла, что как вышла из магазина, как встала посреди проезжей части, так и осталась стоять, рассматривая крошечный пятачок перед дедовым подъездом, вмиг осиротевшим и замусорившимся.

Обернулась.

За спиной стоял Саша Горячев. Ее любимый, единственный оставшийся родной человек — Саша Горячев. Он был... он был таким живым, таким красивым и таким желанным, что у нее на миг перехватило дыхание. Ветер ерошил его длинные светлые волосы. Взгляд, обращенный на нее, было полон любви и скорби. Кофейного цвета рубашка с короткими рукавами обнажала крепкие загорелые руки. Тонкая ткань темных брюк рельефно обрисовывала сильные мышцы ног — Саша давно занимался бегом.

Она так по нему соскучилась! Только теперь поняла, как сильно она по нему соскучилась! По его рукам, ногам, телу, по его запаху, голосу. Ну почему он так долго к ней не ехал, почему?! Он же нужен ей! Только он! Только ей!

— Ты? Ты откуда здесь? — Она судорожно сглотнула, дотянулась до его голого локтя, крепко обхватила, увлекла к своему подъезду.

— Я к тебе, приехал к тебе. — Он послушно шел за ней следом, ускоряя шаг — она почти бежала. — Отпросился у Соседовой на несколько дней.

— Зачем? — Она почти впихнула его в лифт.

— Чтобы быть с тобой рядом, Саша.

Двери лифта замкнулись. Он привлек ее голову к своей груди, погладил по спине. Саша судорожно, со всхлипом, вздохнула. Теперь ей станет легче. Теперь она не одна. Вместе они со всем разберутся. Вместе им удастся оправдать деда. Вместе...

Потом все было очень быстро и как-то судорожно. Трещала ткань его рубашки, и едва слышно щелкали по паркету отрывающиеся пуговицы. Лязгала пряжка ремня, скрипели пружины матраса. Она, как сумасшедшая, цеплялась за его плечи, хватала его губы своим ртом, пыталась вдохнуть в себя его стоны, чтобы ощутить, что она жива, жива... Что в ней бьется, бьется эта чертова жизнь, вместе с бухающим сердцем, она мчится по ее венам вместе с кровью, она бьет ее в виски вместе с зарождающейся судорогой и вырывается из ее горла хриплым, мучительным стоном. Она прочна и незыблема — ее жизнь. Хотя еще час назад казалась ей чем-то эфемерным и хрупким, болезненным и запачканным.

— Что с тобой? — Саша сгреб пятерней себе волосы со лба, удивленно осмотрел ее, так и не успевшую до конца раздеться. — Ты... ты никогда не была такой.

— Извини, если что не так.

Вялыми руками потянув обратно футболку вниз, Саша перегнулась через Александра, подобрала джинсы, трусики, быстро оделась.

— Кофе будешь? — спросила она, не глядя на него.

Вид его загорелого мускулистого тела, еще минуту назад казавшийся ей прекрасным, начал раздражать. Оно вдруг показалось ей инородным в ее горестной келье. И беспечное лицо любимого показалось чужим. Оно не соответствовало, не приличествовало случаю — это беспечное милое выражение его красивого лица.

— Тебе лучше одеться, — сказала Саша, возвращаясь в комнату через пять минут с двумя чашками кофе.

— А мы что, куда-нибудь уходим? — Он приподнялся на локте, взял у нее чашку, но перед этим все же успел запахнуться простыней, что-то такое уловив в ее словах, голосе, в том, как она настырно не смотрела на него. — Кстати, что ты делала в магазине? Я парковался, когда ты выходила. Вышла без покупок. Не забыла их там, нет?

— Я ничего не покупала. Я говорила с хозяином магазина по поводу визита к нему следователя Данилова.

— Чего он к нему приходил?

— Записи изъял с камеры наружного наблюдения. За неделю.

— Вот как!.. А это не муляж?! — изумился Горячев. — Я был уверен, что это пустышка. Надо же...

Саша подошла к окну, выглянула. Витькина «Газель» исчезла с проезжей части. Она поискала взглядом машину любимого, не нашла.

— А где ты парковался?

— На углу твоего дома, там удобнее. — Горячев дернул плечами. Капля кофе пролилась ему на грудь; он поморщился, незаметно от Саши промокнул пятно простыней. — Этот чудак, кому принадлежит магазин, постоянно преграждает проезд.

— Постоянно? — удивилась она, резко оборачиваясь. — А когда это он еще перегораживал тебе проезд? Ты же был у меня всего ничего. Твои визиты ко мне можно по пальцам пересчитать, и то вечерами. Вечерами он никогда не выгружается. Саша? — позвала она, потому что взгляд его невероятно синих глаз вдруг упал на дно кофейной чашки, будто в поисках ответа. — Саша!

— Что, ну что?

Он со злостью отшвырнул простыню, выворачивая ее кофейной кляксой наружу. Сел, поставив пустую чашку на прикроватную тумбочку, потянулся за брюками.

— Горячев, когда ты бывал тут днем?

Саша облокотилась задом о подоконник, уставившись на Горячева так, будто видела его впервые. Мысли, ледяные и тяжелые, принялись падать в душу громадными кусками льда.

Красивый, холеный молодой мужик тридцати лет, с шикарным торсом, крепкими руками и ногами. Прекрасным лицом, требовательным ртом. Что она вообще знает о нем? Что он грамотный юрист и великолепный любовник? Что любит кофе без сахара и молока, а апельсин предпочитает макать в сахарницу? Что сдобная булочка должна быть непременно намазана внутри топленым маслом, а носки не должны лежать на одной полке с трусами и полотенцами? Разве этого достаточно ей было знать о нем, а? Почему она никогда не пыталась пойти дальше?

Да, у них был роман несколько месяцев. Но он так и не познакомил ее со своими родителями. И друзей его она не знает. И про сестер и братьев молчок! Да, она как-то об этом не думала. И со своим дедом не знакомила его тоже. Все у них шло будто бы прекрасно. Да, по умолчанию, отношения двигались к свадьбе. До тех пор, пока кто-то не подложил ей в сумочку диск с ворованной информацией. Вот тогда как-то все хрустнуло и надломилось, как сухая ветка. Она сразу оказалась в пустоте, в одиночестве. Только один дед поддержал ее. Ну и еще Соседова, но это уже потом.

Александры тогда не было в ее кабинете. Теперь уж и причину она не помнит, по которой вышла. Дверь, разумеется, не заперла. От кого?! Коллектив как семья! Потом поднялся странный шум и начался обыск. Выворачивали ящики столов, полки шкафов, сумки. До досмотра карманов и трусов дело не дошло, слава богу. Да и зачем, если все нашлось — у нее в сумочке!

Саша до сих пор помнит взгляды нескольких десятков пар глаз, устремленных на нее. До сих пор помнит страх, изумление, злорадное наслаждение, с которым на нее смотрели некоторые. И, конечно, помнит сожаление и брезгливость, с которыми на нее смотрел Горячев, не пытавшийся тогда заслонить ее собой от этих страшных взглядов.

Если бы не Соседова, выпроводившая ее в отпуск со словами, что не верит ни черта в ее виновность, Саше бы тогда очень худо пришлось. Очень!

— Горячев, когда ты был в моем дворе днем? Когда Ломов преграждал тебе дорогу своим автомобилем, который называется «Газель»?! — Она почти не замечала, что говорит очень громко и неприлично подозрительно: — Зачем ты был тут днем, Саша?! Когда?!

Она не должна была, не имела права повышать на него голос. Тем более подозревать в чем-то. Но погиб ее дед! И вместе с ним еще два человека! А она не знала, что думать, что делать и кому верить.

Она бы, может, никогда не позволила себе ничего такого, если бы не тот давний Сашин взгляд, заведомо не верящий и обвиняющий ее в страшном проступке. Недоверие стремительно пускало корни в ее сердце, оно, как ядовитый плющ, обвивало каждый нерв.

— Я приезжал, да, приезжал. На днях. Точно не помню: среда, четверг, понедельник. — Горячев стремительно поднялся, чуть подпрыгнул, натягивая штаны, застегнулся, потянулся за ремнем.

— Ко мне?! — Саша округлила глаза. — Но я все время была дома. Ко мне никто...

— Я приезжал не к тебе. К твоему деду, — признался он нехотя, с сожалением рассматривая широкую прореху на планке рубашки, где оторвались подряд две пуговицы.

— К моему деду?! — ахнула Саша и без сил опустилась прямо на пол возле окна. — Но зачем?!

— Ну... — Горячев замялся, попытался както свести рубашку на животе, в том месте, где не осталось пуговиц, после нескольких неудачных попыток снял ее и швырнул на кровать со злостью. — Хотел попросить у него твоей руки и сердца. Он же старомодным стариком был. Вот я и решил начать с него, а потом уже...

— Что тебе сказал мой дед?

— Ничего толком не сказал. Разговора не получилось! Он захлопнул дверь у меня перед носом! — огрызнулся Горячев и шлепнул себя по животу ладонями: — Вот как я теперь пойду?!

Саша обхватила голову руками, принявшись раскачиваться, будто пыталась убаюкать разраставшуюся в душе панику.

Он врет! Бессовестно врет! Дед ни словом не обмолвился о его визите. А он никогда от нее ничего не скрывал. Никогда! Дед часто мучил ее ненужными подробностями своих походов по магазинам. И почти всегда вечерами рассказывал ей, как провел день. Что делал, с кем встречался и о чем говорил. Так было каждый день. Исключений не случалось! Дед не рассказывал ей о том, что к нему приходил Горячев просить ее руки и сердца. Если только это не было в день его смерти. Если только дед не успел этого сделать...

— Ты был у него вчера?! — Саша взглянула на него снизу вверх.

— Ну... Нет, не вчера, не помню. — Горячев упорно не хотел на нее смотреть, не сделал попытки поднять ее с пола. — Не помню, в какой день. Саша, прекрати на меня так смотреть!

— Как?! Как ты на меня смотрел в тот день, когда мне подбросили диск с информацией?! — Она с трудом поднялась, прошла на слабых ногах мимо него в коридор, распахнула дверь и громко крикнула: — Горячев, поди вон!

Он появился через мгновение. Злой, растрепанный, в распахнутой на груди рубашке. Обулся, глянул на нее и вдруг полез в карман брюк:

— А как же это, Сашок?

На его ладони лежала крохотная бархатная коробочка темно-синего цвета. Он распахнул ее. Большущей слезой сверкнул камешек.

Кольцо! Красивое, кажется, дорогое. Дорогое, долгожданное.

— А как же это?! — повторил Горячев потерянно, приваливаясь к стене рядом с распахнутой настежь дверью. — Ты так же, как твой дед, громко хлопнешь дверью у меня перед носом?!

Вот лучше бы он этого не говорил! Вот не сказал бы, кто знает, как бы она себя повела. Может, и смягчилась, может, обняла его, разревелась и дала согласие. Но стоило ему так сказать...

— Уходи, Саша. — Она отступила в сторону, чтобы выпустить его на лестничную клетку, не прикоснувшись. — Уходи!

— Идиотка! — буркнул он и ушел.

Саша вернулась в спальню, упала прямо в одежде на развороченную постель и разрыдалась, зарывшись лицом в подушку.

Она не видела и видеть не могла, как мчался Горячев до своей машины. Как старательно сводил края рубашки на животе и как нервно улыбался любопытным взглядам, устремленным на него. Выдохнул лишь, когда нырнул на водительское сиденье своей машины.

Внутри было душно и жарко, он тут же взмок. Понюхал подмышки, брезгливо поморщился. Он не принял душ после секса, как обычно. Эта неврастеничка выставила его. Выставила с обручальным кольцом! С ума сойти можно! Его, Горячева Александра, удачливого, красивого, перспективного!

Выставила! С обручальным кольцом! Он потратил на него целое состояние, когда выбирал, а она даже на него не взглянула. Идиотка!

Потом он бежал до машины, опять же, из-за нее. Ее руки рвали на нем рубашку. Благодаря ее стараниям от нее отлетели сразу две пуговицы. Дворовые сплетницы с большим интересом рассматривали его загорелый живот. Догадливо ухмылялись. Твари!

Горячев поморщился, как от боли. Резкий запах пота его нервировал. От него всегда пахло прекрасно. Покойная Сонечка закатывала глазки, восхищаясь его ароматом. Понюхала бы его теперь, не пропади она так бездарно.

Горячев повернул ключ в замке зажигания, направил на себя струю пока еще теплого воздуха из кондиционера. Подождал минуту, стало чуть прохладнее.

— Идиотка! — с чувством повторил он и полез за телефоном.

Номер, который он набрал, был последним в строке вызовов. Имени не было. Было всего лишь три цифры — шестьсот шестьдесят шесть. Знак дьявола, зловещий, ужасающий, не дающий никаких надежд на снисхождение. Горячев его и не ждал.

Ответили ему почти сразу.

— Что? — спросили Горячева вместо того, чтобы поздороваться. Такие формальности не особо приветствовались.

— У меня проблемы. — Саша часто задышал, будто только что вернулся с ежедневной пробежки.

— И?

115

— На магазине камера наружного наблюдения настоящая.

— Да ладно! Не верю!

Тихий мерзкий хохоток прошил Горячеву мозг огненной строчкой. Тело снова сделалось липким от пота, невзирая на то что в машине прочно установилась температура в семнадцать градусов.

— Совершенно точно. Записи сегодня изъял следак. За всю минувшую неделю. — Последнее слово еле выползло сквозь сузившееся от страха горло. — Моя задница там точно засветилась!

— Так... Так... Так...

Отвратительно это звучало. Тиканьем дьявольских часов, отсчитывающим последние минуты его беззаботной сытой жизни.

— И что ты?

— Я? Я предусмотрительно оповестил любимую, — произнес Горячев с беззаботным смешком, не особо ему удавшимся. — Я рассказал ей, как бы между прочим, что был на неделе у ее деда с предложением руки и сердца. Точно когда, не помню. И что он выставил меня, хлопнув дверью.

— И что она? Поверила?

— Кажется, нет. Но это ведь ее проблемы, так? — Он как можно беспечнее рассмеялся. Смех улетел в пустоту, не найдя ответа, не зацепившись за поддержку. — Я даже для убедительности продемонстрировал ей обручальное кольцо.

— И что она? — Голос собеседника звучал все тише. — Приняла предложение?

— Нет. Выгнала. Но...

— Это плохо, Сашенька. Очень плохо. Если бы она сказала «да», у тебя был бы шанс выкрутиться. Она бы встала на твою защиту. Теперь не знаю. Так... Так... Так... — снова пошел отсчет его последних минут. — Ладно, посиди пока тихо. Если менты выйдут на тебя, скажешь им то же самое, что и ей. Думаю, прокатит. Тем более что опровергнуть это теперь некому. Если не прокатит, заказывай ящик!

— К-кому??? — На него накатила жуткая икота, желудок просто выворачивало от спазмов.

— О, тут я тебе не помощник, Сашок. Думай сам...

Все пропало, шеф! Все пропало! Захотелось ему завизжать, забившись в угол заднего сиденья машины. Он все испортил, забыл об осторожности. Он облажался! И если теперь не исправит ситуацию, пустив следствие по ложному следу, то ящик он должен будет заказать себе! Это он четко уловил в последних словах своего мучителя. Себе должен будет заказывать гроб Горячев Александр, чтобы на него не тратились другие. Иначе его просто зароют под придорожными кустами, как бродячую собаку.

Господи! Как он мог так попасться?! Когда, в какой день продал душу дьяволу?! Когда подписал с ним договор собственной кровью, наивно полагая, что все это блеф, игра, и что если у него все будет, то это ему ничем не грозит? Когда ступил за точку невозврата? Когда?..

ГЛАВА 9

Сентябрьское утро, расчертившее пол его спальни на ровные квадраты, перепугало. «Как окно в тюремной камере», — вздрогнул Филонов, едва успев открыть глаза. Все мать, дура! Она решила застеклить его окна стеклами с раскладкой. Так теперь модно, спорила она с Женей до хрипоты. И фыркала ему в лицо, по-звериному скалилась, утверждая, что, если он станет бояться собственной тени, эта тень его рано или поздно накроет.

— До сих пор удивляюсь твоим дружкам, — таращила мать в его сторону черные глаза, едва выглядывающие из складок морщинистой кожи. — Чего они тебя до сих пор не прихлопнули? Ты же тля! Трус и тля, Женя...

Да никакой он не трус, возражал он не ей — себе. С ней спорить было бесполезно. Он просто очень осторожный человек. Очень! И благодаря этой его природной осторожности его до сих пор не посадили. А дружки его уже кто по две, кто по три ходки отмахал. А он ни разу, тьфу-тьфу-тьфу.

Тюрьмы Филонов боялся больше, чем сумы. Он часто представлял себя нищим, жующим сухой хлеб с солью и запивающим все это простой водой из-под крана. И ничего. Не нравилось, конечно. Но не смертельно. А вид тюремной камеры в мыслях всякий раз вгонял его в глубокую депрессию. Он не мог и не хотел тощего ссаного матраса под собой. Не желал слышать окриков конвойных. Тесной камеры и вонючих сокамерников. Не желал неба в клеточку, черт побери! А эта старая дура взяла и устроила ему такое небо в его собственном доме! И теперь это клетчатое небо упало отсветом на его сверкающий паркет. И пугает его, пугает, пугает...

Филонов заворочался под одеялом и тут же понял, что лежит на постельном шелке совершенно голый. Кто?! Кто посмел его оставить в таком виде? Он всегда спит в трусах. Иногда еще и в майке. Он резко повернул голову. Взгляд его уперся в черные кудри, разбросанные в беспорядке на соседней подушке.

— Слышь! — Он двинул коленом в женское тело, которое не узнал. Попал в мягкую пышную задницу, двинул коленом еще раз. — Слышь, матрешка! Просыпаемся!

Женская голова заворочалась, повернулась, и в заспанной помятой физиономии Филонов, к стыду своему, узнал свою бухгалтершу Анну Львовну. Задаваться нелепым вопросом, как она тут очутилась, смысла не было. Не сама же приехала к нему за город. Факт, он приволок ее. Только вот почему и зачем?!

— О, Женек, доброе утро, — Анна Львовна оскалила белозубый рот в широкой улыбке. — Как ты?

— Еще не знаю, — проворчал он, с ужасом вглядываясь в рельефные складки вокруг ее большого рта и пышные припухлости под глазами, вымазанные вчерашним макияжем. — Как мы?.. То есть я хотел сказать, как это все?.. У нас че-то было?

— А как же! — не убирая улыбки, воскликнула Анна Львовна. — Еще как было, Женек!

Она не сбросила, а сдунула с себя шелковую простыню. Филонов содрогнулся. Тела Анны Львовны было очень много даже для него, хотя он всегда любил пухлых женщин. Громадная, с хорошей задницей, грудь с темными пятнами сосков с чайное блюдце, пухлый живот, толстые дряблые ляжки.

Из-за чего же он так нарезался вчера, что притащил в свой дом для секса эту корову?!

— Это... Что там вчера было-то? — Он пополз к краю кровати, подальше от ищущей ладони бухгалтерши.

— А ты ничего не помнишь? — Анна Львовна повернулась на бок, и ее громадные жирные сиськи уперлись Филонову в плечо.

— Нет, не помню. — Не отворачиваясь от нее, Женя осторожно свесил одну ногу, уперся в пол, свесил вторую, вскочил, прикрываясь простыней, которой Анна Львовна явно пренебрегала. — Так что было-то?

— Да что было, что было... — Бухгалтерша перевернулась на спину, вытянулась, сцепив руки за головой, широко, по-акульи, зевнула. — Степан к вам под конец рабочего дня заезжал со своими ребятами.

— Мазила?!

Филонов покрутил головой. Нет, ну как отрезало! Ни черта не помнил!

— Да, он. Приехали в четыре, под конец рабочего дня. Он и еще двое с ним. Вы с ними закрылись в кабинете. Долго орали, гремели. Потом они уехали, вы надрались. Попросили довезти вас до дома. Потом попросили остаться. Все, — отчиталась Анна Львовна, переходя на «вы». — Я довезла и осталась, как вы и велели.

— А потом мы тут? — Филонов сделал из двух пальцев левой руки колечко, пощелкал правым указательным пальцем по нему. — Мы тут с вами?

— Совершенно верно. — Бухгалтерша в точности повторила его жест. И тут же широко заулыбалась: — Да не стоит так отчаиваться, Евгений Леонидович. Я девушка взрослая, замуж за вас не попрошусь.

Взрослая девушка была лет на пятнадцать его старше и килограммов на шестьдесят тяжелее.

О каком замужестве может идти речь! Он-то теперь печалился совершенно о другом. Как его вообще угораздило?! Что такого могло произойти за закрытыми дверями его кабинета с Мазилой и его пацанами, что он так мерзко надрался?!

— А я вам могу рассказать. Я не подслушивала, нет-нет! — Ладонь Анны Львовны исчезла между грудей, как между подушек, даже запястья не было видно. — Просто вы так кричали, что не услышать мог только глухой.

— Все слышали? — ахнул Филонов.

Конечно, он не дурак, понимал, что с Мазилой они не прогноз погоды на неделю обсуждали. И не планы на выходные. Что-то было там, чего другим слышать было не надобно. А там коллектив! Посетители из жильцов! Господи...

— Никто ничего не слышал, Евгений Леонидович, — улыбнулась, довольная собой, Анна Львовна. — Как только они пришли, я сразу смекнула что к чему и выпроводила всех вон. И сотрудников, и посетителей. Всех! Вон! Дверь офиса заперла. Сама, уж простите, осталась. Квартальный отчет не за горами.

— А чего смекнули-то, Анна Львовна?

Филонов тщательно упаковался в простыню, как в тунику, отошел на безопасное расстояние, присел на мягкий круглый пуф. Тут, он решил, ее алчные ищущие руки его не достанут. С этого места не был виден ровный квадрат на его паркете, отраженный стрельчатым окном.

— Что они явились к вам из-за этого нашумевшего убийства. — Ее жирные плечи беспечно дернулись, приводя в движение все объемные выпуклости. — Вы же помните, что случилось пару дней назад в доме номер семнадцать?

— Да, да... — Кожа на затылке Филонова натянулась. Он мог поклясться, что слышит, как она потрескивает от вставших дыбом волос.

Конечно! Он вспомнил! Вспомнил, черт бы все побрал на свете, об этом ужасном убийстве! Вернее, сразу о трех убийствах он вспомнил! Ужасных и бессмысленных по сути своей. Сразу вспомнил свой ужас, когда понял, чьих рук это дело. И вызвал их всех к себе на вечер. А они, видишь ли, явились к четырем часам. Еще когда конец рабочего дня не наступил. Слава богу, есть у него верные люди в лице Анны Львовны.

Филонов невольно с благодарностью глянул на пышнотелую бухгалтершу, не думающую вставать и не делающую ни единой попытки одеться. Ее помощь нужна была снова. Он вспомнил то, зачем братва приезжала. Но не помнил ни слова из их разговора. Ни единого! Как вытравили ему участок мозга, отвечающего за память.

— А тут все просто, — пояснила Анна Львовна, усаживаясь на кровати и превратившись сразу в громадную медведицу, с которой состригли весь мех. Почти весь... — Вы орали на них. Называли дебилами и отморозками. Орали, что они подставили вас. Что теперь менты точно придут за вами...

В этом месте Филонову так закрутило живот, что он еле усидел на мягком круглом пуфе.

Вот оно! Вот оно и настигает его, возмездие-то! Мать-дура своими окнами в клеточку накликала беду. Сидеть ему теперь, точно сидеть!

— Многие видели, как Лопушины приходили к вам с визитом накануне своей гибели. Может, они кому пожаловались на вас, — продолжала разглагольствовать Анна Львовна, сидя на кровати с широко разведенными в стороны жирными коленками. — Потом еще Степан сокрушался по поводу того, что его ребята весь день до самой стрельбы проторчали во дворе. Нарисовались, типа.

— Нарисовались... — трагическим эхом облетел комнату шепот Филонова.

— Еще кто-то из его ребят ходил по пятам сначала за женой, потом за мужем.

— За кем, за кем?! — не понял Женя.

— Ну, за этими Лопушиными.

— А куда ходили?

— В магазин. Там у них во дворе магазинчик дежурный.

— Знаю, знаю, — замахал на нее руками Филонов. Он сам там не раз закуску покупал, если везде опаздывал. — Хозяином там Витек Ломов, три года отсидел по малолетке за кражу. И че, эти лохи ходили за теткой с мужиком в магазин?! Типа, следили, что ли, я не понял?

— Типа того, — кивнула лохматой кудрявой головой Анна Львовна, вдруг сально улыбнулась Жене, похлопала по краю кровати: — Женечка, не хочешь к мамочке?

У него вторично закрутило живот, стоило глянуть на голую бухгалтершу, бесстыдно растопырившую коленки. Нет, на трезвую голову он на подобные подвиги точно не способен. Стошнит сто процентов.

— Не до того, — нахмурился Женя. — Что было дальше?

— А дальше... дальше Степа принялся клясться и божиться, что они не убивали этих уродов Лопушиных. И тем более не трогали старика. Он, типа, сам себе башку прострелил, когда понял, что натворил. Мол, все соседи слышали, как они скандалили. А потом бабахать начало.

Анна Львовна разочарованно выдохнула и с третьей попытки слезла с кровати. Мягкие пружины, стоившие Филонову немалых денег, раскачивали ее крупное тело и возвращали ее зад на место. Наконец она встала на пол, сграбастала со стула аккуратно развешенную одежду и тяжелой поступью отправилась в душ. Там она что-то напевала, даже смеялась, громко плескалась и фыркала. Ну, ей-ей, медведица! Вышла аккуратно причесанная, одетая и сразу запросила такси.

— Рабочий день в разгаре, Евгений Леонидович. — Широко раскрыв рот перед зеркалом шкафа, Анна Львовна красила губы. — А нас с вами нет. Разговоры пойдут.

— О нас с вами?! — ужаснулся Филонов.

— Зачем? — Она свернула тюбик губной помады, убрала в сумочку, обернулась к нему с отеческой улыбкой. — О том, что вы сбежали вместе с дружками своими.

— Как?! — Филонов резко вскочил, мягкий шелк скользнул по телу, падая к ногам. — Как, сбежали?! Степка что, сбежал?!

— Ну... Насколько я поняла из вчерашнего разговора, — ее заново разукрашенные глаза жадно пробежались по молодому телу начальника, —

Степан собирался вместе с этими двумя парнями сегодня же улетать в Таиланд. Пока, говорит, все не утрясется, они залягут.

— Так и сказал?!

В голове тут же, как выстрел, лязгнул запор тюремной камеры. Вот оно! Начинается! Тело Филонова мгновенно покрылось крупными мурашками. Даже Анна Львовна со вздохом отвернулась. Она не особо жаловала трусливых мужчин.

— Так я вызову такси? — спросила она, направляясь к выходу из спальни.

— Да-да, конечно, — пробормотал он, падая голым задом на мягкий бархат круглого пуфа.

Он слышал, как она говорит по телефону в его гостиной. Как потом подъехала машина, открылась и закрылась железная калитка на его воротах. Надо было что-то делать. Хотя бы принять душ для начала. Он весь провонял ее духами. Тяжелый ванильный запах кружил голову и вызывал тошноту. Надо было срочно звонить Степке и предъявлять ему, предъявлять... Из-за него, гниды, все его проблемы! Из-за него!

— Ох-ох-ох, — застонал Филонов, влезая под горячий душ. — Что же теперь будет?..

Тот же самый вопрос он задал часом позже Степану Мазиле. Тот сам позвонил ему, чтобы похвастаться, что он уже минут двадцать как в аэропорту Гонконга. Он застал Женю сидящим все еще голым на пуфе в спальне. Позвонил, чтобы похвастаться и чтобы Филонов не ссал и не боялся.

— Да! — заорал Женя не своим голосом. — Это ты мне говоришь, находясь за многие тысячи километров отсюда? Сволочь!

— Ладно тебе, Жэка, че ты, — неуверенно хохотнул Мазила. — Все пучком, че ты...

— Вот когда придут за мной, тогда и узнаешь, че я! — Филонов орал на дружка так, что захрипел через минуту. — Ты, сволота, приставил своих баранов к этой паре! Они водили их у всех на глазах! Кто докажет, что не они их грохнули, а?!

— Это, Жэка... Я и докажу. Че ты кипятишься-то? — миролюбиво хохотнул Степан без тени озабоченности.

— Что значит докажешь?! Что это значит?! Ты, что ли, старика за руку держал, когда он этих вальнул, а потом себя?!

— Нет, не держал, — признался Степа после паузы. — И это, слышь, Жэка... По ходу, старик не сам себя. По ходу, его тоже вальнули.

— О боже мой, нет! Ну нет же! — простонал Филонов со слезой.

Он что-то такое подозревал, но еще надеялся. Надеялся, что все именно так, как выглядит. Что старик обезумел и пострелял соседей из личной обиды. Ну, довели его, с кем не бывает. Потом осознал и стрельнул себя, чтобы не сесть на старости лет. Небось тоже тюрьмы боялся, как и Филонов. Очень Женя надеялся, что менты слопают эту версию и не станут глубоко копать, а тут...

А тут Степка заявляет, что старика вальнули, что он не сам себя.

— Что это значит, Степа?! — просипел Филонов, хватаясь за лоб, который показался ему горячее раскаленной печки.

— Ну... Сначала один выстрел, так.

— И?

— А потом, через паузу, еще два. Пауза минуты в три-четыре или даже в пять минут. А этих лохов-то вальнули одновременно. То есть застрелили сначала одного и сразу второго.

— И что дальше-то?

Он честно ничего не понимал от страха. У него снова что-то случилось с животом. Крутило и больно резало под ребрами.

— Ты че, тупой, да?! — возмутился Степа. — Сначала один выстрел, потом, через паузу, сразу два. Ты че, Жэка, тупой?! Че, старик себя вальнул, а потом пошел с пробитой башкой этих лохов стрелять?!

— Хочешь сказать, что сначала старика, а потом этих двоих? — Перед глазами сделалось мутно, в горле горько, и через секунду его стошнило прямо на белоснежный ковер в спальне.

— Так, выходит. Облажался, выходит, стрелок. Или страховался. Старик-то, по слухам, из военных. Мог на выстрелы из квартиры выскочить. Его первого и вальнули, чтобы не сунулся. Типа того... — совершенно спокойно проговорил Мазила. И с ядовитым смешком поинтересовался: — Ты чего там, Жэка, блюешь, что ли?

— Так, немного, — ответил Филонов, тяжело дыша и вытирая рот шелковой простыней. — Отходняк такой, что мама не горюй!

— Это тебя от твоей бухгалтерши мутит, — заржал в полное горло Мазила. — Братва говорит, что она тебя вчера домой уволокла. Такая гризли, Жэка! Как ты с ней?! Обоссаться же!

Он ржал еще минуты три, на все лады предрекая ему скорую кончину от громадных лап Анны Львовны.

— Хорош ржать, Степа, — скрипнул зубами Филонов, в глубине души с ним соглашаясь насчет бухгалтерши. — Лучше скажи, что мне делать и что говорить, если менты за мной придут?!

— Ты-то тут при чем, Жэка? Ты вообще не при делах. Моя братва, что пасла этих лохов, в отъезде. Ищи их свищи. Меня не припишут. Да если и че, то я соскочу.

— Как это?

Спокойный тон подействовал, Филонову стало легче дышать, пелена с глаз исчезла, тошнота прошла. Даже захотелось есть. Большущего такого жирного куска мяса захотелось с луком и укропом. Он вскочил с пуфа, чтобы идти в кухню, пошарить в холодильнике, когда очередные слова Мазилы сразили буквально наповал.

— Что-что-что ты сказал? — Голый зад Филонова снова опустился на мягкий бархат.

— Че слышал, — хохотнул Степа. — Я догадался, кто стрелок, Жэка. Так что, если возьмут за яйца, я всегда соскочу.

— Ты знаешь стрелка???

— Ну да, а че?

— Так скажи мне, чтобы я сказал ментам, если возьмут за яйца меня, скотина! — взвизгнул Филонов, пиная облеванную простыню, от которой жутко воняло.

— Тебя не возьмут. Сто процентов. Меня тоже. А ментам я не помощник. Чтобы я им помогал?! Ты за кого меня принимаешь, брат? — разрядился гневными нотками миролюбивый прежде тон дружка. — Короче, все. Давай, пока. Вон мой чемодан ползет.

— Погоди, Степа! Погоди! Как?! Кто стрелок? Кто, скажи?! Ты что, видел его?

— Не-а, брат. Не видел. Я его вычислил. Кое-что проверил, и точно. Я же умный. Потому и живой до сих пор. — Степка кому-то что-то сказал на ломаном английском, подхватил чемодан, с грохотом покатил его по плиткам пола и вдруг опомнился. Он все еще держит телефон возле уха, все еще не отключился. — Жэка, ты все тут?

— Да тут я, тут.

— Это... что хотел сказать-то... — Степка паскудно захихикал. — Ты передай ментам-то при случае: они не найдут стрелка-то. Ни в жизнь и никогда не найдут, Жэка. Так и передай...

ГЛАВА 10

— Котик, ну чего ты?

Пухлый, красиво очерченный рот Лилечки, стоивший Заломову двести евро каждые два месяца, сложился обиженной скобочкой.

— Ничего, милая, все в порядке. — Заломов вымученно улыбнулся, потянулся через стол к молодой жене, поймал ее за ухоженную ручку, тоже обходившуюся недешево. — Все в порядке. Так о чем ты хотела со мной поговорить?

Лилечка, тут же позабывшая мимолетную обиду, улыбнулась. Она была чрезвычайно отходчивой. Или просто обладала плохой памятью, как съязвила недавно его бывшая жена. Поднесла его руку к своим губам и нежно поцеловала в ладонь.

— Котик, мне надо полторы тысячи, — испуганно моргая, пролепетала Лилечка.

— Надеюсь, не долларов!

Заломов напрягся. За последний месяц она выкружила у него уже десять тысяч долларов на какие-то шмотки, экстрасенсов, тренажерные залы и на помощь своей больной матери. Еще полторы тысячи? Но зачем?

— Конечно, не долларов, — захихикала Лилечка, и не успел он расслабиться, как она добавила: — Евро.

— Полторы тысячи евро?! — ахнул Заломов. — Но это семьдесят с лишним тысяч рублей, дорогая!

— Да? Так много? Уф-ф... — выдохнула она, надувая нежные щечки. — В евро это звучит гораздо дешевле. Придется отказаться.

Она сложила ручки на столе послушной школьницей, ясно давая понять, что кушать больше не станет, хотя к завтраку почти не притронулась. А завтрак был славным, вкусным. Их домработница, готовившая и убиравшаяся каждый день, сделала сегодня нежное творожное суфле с клубникой, омлет с ветчиной на пару, как любил Заломов, сварила целый кофейник превосходного кофе и нажарила гренок. Почему не позавтракать? Вкусно же! Очень вкусно!

«И почему непременно надо портить ему аппетит своими бесконечными просьбами?» — подумал вдруг Заломов с раздражением. Если она не хочет кушать, хотя бы дала ему поесть. Ему через полчаса на работу. А там полный кошмар. После всего, что случилось, их накрывает проверка за проверкой. Полиция практически поселилась в офисе. Выспрашивают, вынюхивают, придираются к каждому слову. Да ладно бы только они! Им за это деньги платят. Они потолкаются, потолкаются да исчезнут. От Соседовой спасу не стало. Вот кто Заломову стал как кость в горле. Баба просто с ума сошла. Пилила его из-за всяких мелочей. Придиралась к каждой цифре, к каждой запятой.

Конечно, в глубине души он ее понимал. Шикарный заказ они едва не упустили в связи со скандальной кончиной их секретарши и зама Соседовой. Одному Богу и Соседовой было известно, каких трудов ей стоило удержать заказ. Вопрос со слиянием повис в воздухе. Она только что ужом не ползала, чтобы все состоялось. Но пока было тихо.

Будешь бесноваться!

А тут еще и неизвестный отравитель, просочившийся в их дружный, сплоченный по-семейному коллектив. Его ведь так и не вычислили. Все уже знали, что отравить хотели именно Соседову, но никто не знал, кто подсыпал яд в кофейник. Пятнадцать человек вместе с ней были в тот день в кабинете. После совещания каждый из присутствующих какое-то время находился возле ее стола. В том самом месте, где стоял злополучный кофейник с ее недопитым кофе. У каждого из них была возможность. У каждого! Но цеплялась она почему-то только к нему — к Заломову.

— Ты что, Алла Юрьевна, решила, что это я?! — не выдержал он вчера ее придирок и неучтиво дернул у нее из рук бумаги, которые она снова принялась критиковать.

— Что ты? — Тяжелый взгляд почти прибил его к полу, столько в нем было ненависти и отвращения.

— Решила, что это я подсыпал тебе яд в кофе? — Заломов сложил бумаги стопочкой, нервным движением убрал их в папку. — Если так думаешь, то зря.

— А почему зря, Заломов? Почему я не могу на тебя подумать? — Она откинулась назад, под ее тяжелой спиной скрипнуло кресло. — Ты самый шикарный кандидат на то, чтобы тебя подозревать.

— С чего это?! — опешил он.

Не думал, что все обстоит так серьезно. А она и впрямь не шутит.

— Ты зашиваешься... — начала она, но он ее перебил:

— Я справляюсь с работой, Алла Юрьевна! Нет пока кандидатур, чтобы меня сменить на моем посту!

— Да не о работе я, Василий Васильевич, — ее некрасивое лицо жалобно сморщилось. — Я о твоей личной жизни. Со старой женой развелся, завел себе молодую. По слухам, она за неделю делает месячный план косметическим салонам города. То ногти, то локоточки, то губки, то глазки, тряпки, опять же. Машину, слышала, ты ей купил. Расточительно иметь молодую-то жену, так ведь, Василий? Расточительно и хлопотно, разве не так?

— Допустим, — осторожно согласился он. — И что? Это ведь только мои проблемы. Разве не так?

— Так-то оно так, но... Откуда такие богатства, Василий Васильевич? Я ведь все знаю о твоих доходах. Или почти все, а? Или я чего-то не знаю?

Заломов тогда вспотел до трусов. Если эта гадкая стерва узнает, что он оказывает консультационные и аудиторские услуги на стороне, попросту подрабатывает, она точно его выставит вон. А она ведь узнает! Сказать или нет?! Может, лучше пускай узнает от него, чем от кого-то еще? Или... или она уже знает?

— Каюсь, каюсь, боярыня, — он склонил голову с редеющей светлой шевелюрой. — Помогаю начинающим предпринимателям за энную сумму в плане консультаций или аудита. Платят, боярыня. Чего не подработать? Но ни разу не помог конкурентам, клянусь!

Соседова с явным облегчением вздохнула. Посмотрела чуть теплее. Точно знала!

— И чего тебе с женой-то не жилось, Вася? — покачала она с осуждением головой. — Вот вы, мужики, дураки какие! Новизны вам хочется, по романтике скучаете, тельца молоденького снова хочется попробовать. А дальше? Тельце-то ухода требует. А это расходы. Да какие! Слышала, молодуха-то твоя палец о палец дома не ударяет, даже домработницу нанял?

— Нанял.

Он похолодел. Стерва знала о нем все! Стало быть, рыскала во всех направлениях, не сидела сложа руки. Искала, искала своего отравителя. На полицию не надеялась. Или это полицейские ее сведениями снабжали?

— Видишь как! — Соседова поправила рукава дорогого пиджака, стряхнула с себя несуществующую пылинку. — Еще небось и секса вычурного просит, а, Вася? Признайся, хлопотно это — молодую-то жену иметь, а?

Сама-то ни разу ничьей женой не сподобилась быть, просилось у него ядовитое с языка. Никто не ощерился на такую-то красоту. Потому зависть и точит.

Но не посмел. Разве можно! Тогда точно сожрет! С потрохами сожрет! Или просто выгонит. А ему эта работа как воздух нужна. У него Лилечка!

Он поднялся с места, решив уйти на этой ноте. Пока она снова не вспомнила про отравителя. Дошел почти до двери, и тут...

— А почему я не могу думать на тебя, Заломов? — настиг его ледяным колом в спину ее вопрос уже на самом пороге.

— В смысле?! — Василий Васильевич вздрогнул и остановился, обернулся на кикимору, рассматривающую его с кровожадным интересом.

— Почему я не могу подумать, что это ты отравил мой кофе?

— Потому что я этого не делал. — Он пожал одеревеневшими вмиг плечами: — Зачем мне?

— Но у тебя был мотив.

— Да?! И какой же? — Заломов стиснул зубы так, что хрустнула коронка на верхней шестерке.

— Твоя Лилечка, выдаивающая тебя по полной программе! — фыркнула Соседова и вдруг полезла с места, намереваясь подойти к нему.

— Ну, Лилечка, и что? Я неплохо зарабатываю, ты знаешь, Алла Юрьевна. — Стараясь казаться спокойным и даже немного равнодушным, Заломов вывернул нижнюю губу и покачал головой: — И подрабатываю.

— Да, не спорю. Наводила справки, но у нас завелся крот, Заломов! Этот крот сливает наши секреты конкурентам и зарабатывает на этом, думаю, шикарные деньги. Как раз такие, какие нужны твоей молодой и алчной красотке. У тебя мотив, Заломов. Шикарный мотив.

Она подошла к нему почти вплотную. Он ощущал жар ее сильного крепкого тела, чувствовал ее запах — густой, сладкий. Вдруг подумал, что она всегда к нему неровно дышала, и часто прежде проявляла интерес, и часто сочувствовала, когда он жаловался на свою бывшую, треплющую ему нервы. До тех пор проявляла, пока поняла, что конкурировать с молодой и красивой Лилечкой ей не под силу.

Может, это ревность?!

— Алла, Алла. — Он постарался глянуть на нее как можно теплее, даже ласково. — Ну о чем ты говоришь? Мы же с тобой друг друга не одну пятилетку знаем. Сколько пудов соли вместе сожрали. Ты должна была изучить меня вдоль и поперек!

— Изучила, — согласно кивнула она. — Потому и сомневаюсь в твоей непричастности.

— Но почему?! — возмутился Заломов. — Я же запросто мог быть вместо Генки Савельева! Ты же знаешь, я всегда отпиваю из твоей чашки. У нас с тобой это что-то вроде ритуала. Сразу после совещания я хлебаю из твоей чашки, Алла!

— Да, но в тот вечер ты не выпил. — Ее набрякшие веки сошлись, оставив крохотные щелочки, сквозь которые его жег ее неприязненный взгляд. — Почему не выпил, Вася?

— Я собирался! Уже и чашку в руки взял, а Генка ее отобрал. Я собирался выпить твой чертов кофе, Алла! — У него даже губы задрожали от обиды.

— Но не выпил, Вася. Потому я в тебе и сомневаюсь...

На этой отвратительной ноте они и закончили. Потом стерва куда-то умотала. В офисе болтают, что она теперь настолько осторожничает, что даже чай не пьет в конторе. И всю минералку из холодильника перевела.

Сомневается она! Сомневается в нем, дура! Не знает, в ком сомневаться? Так он ей кандидатуру подбросит. Вот обратилась бы к нему за советом, он бы ей и подбросил кандидата на роль отравителя. И, ей-богу, не ошибся бы.

— Котик! — Требовательный голос Лилечки вывел Заломова из ступора. — Так ты дашь мне полторы тысячи евро или нет?!

Ее милое личико пошло красными гневными пятнами. Или это раздражение было на дорогущий крем за тысячу долларов, на который она брала у него деньги три дня назад.

— Нет, не дам, — решительно отказал Заломов и замер в ожидании реакции.

Ему давно бы следовало начать ей отказывать. Что в самом деле как доярка! Из-за нее, из-за этой требовательной красавицы, из-за ее неуемных аппетитов он и попал в немилость к Соседовой. И под подозрение попал. А это плохо. Если она сольет информацию в полицию, к нему прицепятся. Станут таскать на допросы в отдел. А это чем ему грозит? Правильно! Это грозит потерей доверия клиентов.

— Ты не дашь мне денег? — распахнула ротик Лилечка, и глаза ее, еще час назад казавшиеся Заломову самыми чистыми, ясными и святыми, наполнились гневными слезами. — Ты не дашь мне денег?

— Нет, не дам.

Заломов склонился над тарелкой с остывающим омлетом. Омлет был восхитительным, домработница очень постаралась. И надо было доесть.

— Точно не дашь? — Слезы из ее глаз исчезли, сменившись дикой злостью.

— Точно не дам. И вообще, малыш, тебе следовало бы перестать сорить деньгами. Они не растут на деревьях. Их люди обычно зарабатывают.

Ему было странно слышать это от самого себя. Даже не понял, как осмелился такое сказать. И стала интересна ее реакция. Вдруг пришла в голову мысль, что, если эта девушка сейчас кинется в истеричном порыве собирать свои вещички, он не станет ее удерживать. Кое-что из вещичек попридержит, это да. Ее держать не станет.

Но Лилечка удивила его так, что у Заломова зашлось сердце.

— Да! Некоторые люди их зарабатывают! — с надрывом крикнула она, сжав миниатюрные кулачки. — А некоторые воруют! Продают информацию конкурентам за бабки! Разве не так, Василий Васильевич?! Разве не так ты зарабатываешь?! Что смотришь? Рот закрой!

Он, как по команде, рот закрыл — тот и в самом деле распахнулся от ужаса. От кого угодно ожидал, но не от этой куколки.

— Я не такая дура, как ты думаешь! — продолжала негодовать Лилечка, слово за словом выписывая себе приговор. — Я наводила справки о вашей конторе. И знаю, что там у вас творится! Эта ваша

Соседова со мной говорила! И на многое открыла мне глаза, Вася!

Алла говорила с этой куклой?! Но зачем?!

— Она много вопросов мне задавала, Вася. Очень много!

— Например? — еле выдавил он, с удивлением рассматривая туго натянутую умелым косметологом кожу на ее щечках.

Как он мог так впороться?! Он, хитрец, удалец, как называла его бывшая жена. Он, способный обвести вокруг пальца любую налоговую проверку. Он, добившийся заслуженного успеха в определенных кругах, попался на крючок к обычной проститутке!

— Она, например, спросила у меня, не покупал ли ты каких-нибудь химических препаратов, способных навредить человеческому организму, — наморщив лобик, с трудом вспоминала Лилечка. — Не смешивал ли ты их в своей ванной?

— Что ты ей ответила?

— Что не покупал, Вася. Я и правда этого не видела. Но! — Ее безукоризненный указательный пальчик, чуть подрагивая, задрался вверх. — Но я не сказала ей, что ты искал информацию об этом в Интернете, Вася! Я точно это знаю, потому что однажды села за твой компьютер, мой завис. А мне нужно срочно было списаться с подругами «Вконтакте». Ты вышел куда-то. Я села за твой компьютер, а там страничка открыта. И я точно помню название, Вася. Точно! Сказать? Сказать?

— Скажи, — скрипучим голосом глубокого старца обронил Заломов, ненавидя эту удивительно красивую девку все острее.

— А там название, — ее подрагивающий указательный палец принялся расписывать воздух перед его лицом, — «Синтетические яды, способы их приготовления, симптомы отравления». А? Что скажешь, Вася?!

Он сказал всего три слова. Коротких три слова:

— Вон отсюда... Тварь...

ГЛАВА 11

Данилов был злой и голодный, как бродячая шелудивая собака. Он именно и ощущал себя шелудивым бродячим псом, которого пинают из угла в угол все, кому не лень, которому нет возможности помыться, зализать раны и просто-напросто пожрать.

Да, Губин Олег Сергеевич накормил его хворостом, отпустил его с совещания. Вечером же Данилов его не застал. Зато на следующий день под самый конец рабочего дня тот продержал его у себя полтора часа в кабинете. Орал, топал ногами и называл пусть не бранными, но нехорошими словами.

— Что значит следов пороха нет на его руках?! Вы с ума сошли все, что ли, совсем?

— Не мы — эксперты, — пытался еще сопротивляться его гневу Данилов и осторожно двигал по столу официальное заключение.

— Плевать! Плевать! Ты хочешь мне сказать, что кто-то перестрелял полподъезда наградным пистолетом этого старого чудака и благополучно свалил?!

— Получается так.

— И теперь ты станешь искать мне этого стрелка десяток лет, так, что ли? — Генерал орал, мало заботясь о том, что его могут услышать посетители в приемной. Сегодня был как раз приемный день.

— Стану искать.

Данилов снова вспомнил о злополучном сэндвиче с цыпленком, который ему так и не удалось съесть вчера утром. Вечером он про него забыл. А сегодня тот о себе напомнил отвратительной вонью, от которой они с Игорем, как ни пытались, не смогли за день избавиться. И проветривали кабинет, и освежителем поливали. Бесполезно.

— Представляешь, Игорек, чем нас кормят...

Сейчас бы Данилов, наверное, сожрал и того тухлого цыпленка, так он хотел есть.

После разноса по всем статьям генерал дал ему трое суток на то, чтобы определиться с подозреваемыми, и выпроводил его вон.

— Плевать мне на отсутствие следов, подполковник! Если за три дня не найдешь мне подозреваемого, то я тебя...

Генерал погрозил ему кулаком и выпроводил. Данилов кинулся по адресам. А толку?!

Филонова на месте не оказалось. Сотрудники ЖЭКа сказали, что не знают, где он. Его дружков, которых пытались навестить еще раньше оперативники, тоже по месту регистрации не было. Теперь выясняли места их лежек. Но это пальцем в небо. У них этих мест... Оставались вокзалы и аэропорты. А на это снова нужно время.

Данилов поехал к Филонову домой. Открыла его мать — неприветливая морщинистая женщина. Фыркнула ему в лицо, что знать не знает, где может быть Женька, и дверь захлопнула перед носом.

Ладно, с большим трудом у подоспевшей на работу ближе к обеденному перерыву грудастой бухгалтерши удалось выяснить, что у Филонова имеется еще и загородный дом. И что она только-только оттуда.

— С ним все в полном порядке, можете не сомневаться, — промурлыкала себе под нос бухгалтерша, представившаяся Анной Львовной. — Думаю, скоро будет на работе.

На работу Филонов приехал не скоро, а часа через два. Данилов к тому времени успел сделать еще один поквартирный обход подъезда, где случилась трагедия. Разговорчивых было мало.

— Да мы уж рассказывали!

— Сколько можно об одном и том же говорить?! Вызывайте повесткой, что ли! Под протокол расскажем, а то ходят по очереди! По кругу! Об одном и том же ла-ла-ла, ла-ла-ла!..

Неожиданно повезло там, где и не ожидал. Этажом выше квартиры, где кто-то всех перестрелял, находилась квартира, в которой он еще не побывал. Нет, там работали опера в вечер трагедии. Сам же Данилов не общался. На другой день ему просто не открыли.

— А нас не было — работали, — улыбнулась длинноволосая девушка, облокачиваясь спиной о волосатую грудь своего партнера по сексу.

Данилов подозревал, что он их как раз спугнул. На ней из одежды была всего лишь мужская рубашка. На нем — короткие шорты. Ребята были вспотевшими и растрепанными. Сделалось стыдно и завидно. Ему не до игрищ! Ему три дня дали на поиски стрелка, иначе...

мат на одного из нас. Все распсиховались, конечно! Крыса, говорит, среди нас. Я, говорит, почти знаю, кто это. И еще она принялась угрожать, что на утро обратится за помощью в полицию. А это уже совершенно другой расклад. Одно дело — быть уволенным, совершенно другое — быть привлеченным по статье. Вот так! Поднялся такой шум. Гвалт. Она объявила совещание законченным. Но никто не ушел. Все столпились возле ее стола, заговорили разом, и вот тут... тут, я думаю, кто-то и отравил кофе. Кто-то сыпанул яд в ее кофейник.

— А Савельев? Он что, выпил из ее кофейника?

— Вот именно! — Заломов откинулся на спинку кресла и глянул на сотрудников взглядом, полным страха. — Но не сразу, господа полицейские. Я как подумаю... Это мистика просто какая-то! Соседова налила себе чашку, поставила ее на край стола. Ее кто-то отвлек в этот момент. Горячев, кажется. Все хотел с ней с глазу на глаз переговорить. Кто-то, не помню кто, едва не смахнул эту чертову чашку со стола. Я подхватил. Хотел хлебнуть. И Савельев... Он выхватил ее из моих рук. И... и выпил. Все до капли выпил. И говорит, фиг тебе, Вася.

— Так и сказал?

— Да. И еще подмигнул так победоносно, будто на скачках меня обошел, идиот! — с неприкрытой горечью закончил Заломов. — Потом мы вышли все из кабинета.

— Все-все?

— Да. И Соседова тоже. Ее будто гнал кто. Может, просто боялась оставаться в кабинете после того, как устроила такое представление. Может,

Иначе могут обвинить старика в убийстве и суициде, немного подчистив экспертизу.

— Что вы можете рассказать о том вечере, когда случилась стрельба?

Его пригласили в прихожую, он вошел. Но в комнату идти отказался, опасаясь, что наткнется на потревоженную постель и ему станет завидно еще сильнее.

— Что можем рассказать... — Ребята переглянулись.

— Сначала был жуткий скандал, — сказала девушка, так и не отлепившись от груди парня. — Мы даже хотели вмешаться. Жалко было старика. Он хороший был, вежливый.

— Интеллигентный, — поправил ее парень, сцепив пальцы у ней под грудью.

Лифчика не было, безошибочно угадал Данилов по натянувшейся рубашечной ткани.

— Кажется, он из бывших военных, — кивнула девушка. — Внучка к нему постоянно ходила. Тоже хорошая, вежливая, Саша...

— Вы не вмешались? — уточнил Данилов, прерывая ее: вежливая Саша послала его вчера утром так, что мама не горюй.

— Нет. Все как-то утряслось. А потом началась стрельба.

— Ну, какая стрельба, малыш? — возмутился парень, хватая ее губами за ухо, она хихикнула. — Сначала один раз бабахнуло. Потом сразу два через какое-то время.

— Да, точно! — Она прижалась ухом к своему плечу, потерлась с улыбкой. — Сначала один раз, а потом через какое-то время бах-бах, два раза.

— Мы потом об этой странности говорили вашему сотруднику, когда он спрашивал.

Парень, думая, что незамечен, опустил одну руку и принялся осторожно ощупывать зад девушки под рубашкой. Прелюдия продолжалась...

— Только он ухмыльнулся так и говорит: разберемся, — возмутилась девушка, отступая вперед.

Действия сотрудника ее возмутили или наглость парня, не стесняющегося постороннего, — трудно было понять.

— А чего тут разбираться? — Парень сунул освободившиеся от ласк любимого тела руки себе под мышки. — Двумя выстрелами подряд убили супругов Лопушиных, так?

— Видимо, — осторожно заметил Данилов.

— А чего видимо, если они лежали рядышком. Мы же ходили, смотрели. Сразу не пошли. Страшно было. Вообще минут десять никто из своих квартир не выходил. Потом уже двери захлопали. Мы об этом тоже рассказывали! Только не очень-то нас слушали! — вспомнила девушка, все же, видимо, опер ее рассердил. — Вышли супруги одновременно, их двумя выстрелами и убили.

— А сначала убили старика, — авторитетно кивнул парень.

— Думаете? — Данилов перестал чирикать в блокноте, глянул на них: — Понимаете, насколько важно ваше заявление?

— Понимаем, потому и настаиваем на своих словах. А ваш сотрудник отнесся к ним халатно, раз Михаила Севастьяновича до сих пор считают убийцей! — Девушка сердито запахнула разъезжающиеся на бедрах полы широкой мужской рубашки.

— Вот скажите, как он мог себе выстрелить в голову, а потом выйти на лестничную клетку и выстрелить в Лопушиных, а?! — присоединился к ее возмущению парень.

— А если он убил сначала мужа, потом через какую-то временную паузу жену? А потом...

— А потом за секунду вернулся к себе в квартиру, сел в кресло и выстрелил? Это, извините, вздор! Минута у него ушла бы минимум. И это при крепких молодых ногах. А он был стариком, не забывайте! И знаете... Чтобы пустить себе пулю в лоб, надо хотя бы собраться с мыслями. Или...

— Написать посмертную записку, — подсказала девушка. — А Саша сказала нам, что никто ей ничего про записку не сказал. Значит, ее не было?

Записки посмертной не было.

— Значит, вы настаиваете на своих показаниях? — уточнил на всякий случай Данилов. — Сначала прозвучал один выстрел, а потом минуты через две?

— Знаете, пауза была минуты в три, а то и больше, — подсказали они почти в один голос.

— И потом минуты через три-четыре два выстрела подряд?

— Совершенно верно.

— Значит, старик их не убивал, получается?

— Мы думаем, что кто-то убил его из украденного у него же пистолета. Он же ругался как раз из-за этого с Лопушиными. Обзывал их ворами и все такое... Вот мы и думаем, что убили сначала старика, а потом этих двоих.

— Понятно... — Данилов постучал авторучкой по страницам блокнота. — Тогда у меня к вам самый главный вопрос: как вы думаете, кто бы это мог быть?!

Этот вопрос вогнал их в ступор. Девушка тут же спряталась за широкой спиной своего парня, успев отрицательно помотать головой. Парень...

Кажется, он даже обиделся.

— Вы что такое спрашиваете? — Его ладонь нащупала бедро девушки за спиной, крепко сжала. — Если бы мы знали, разве не заявили бы?!

— Но это не мы, это точно! — фыркнула девушка с обидой.

— Хорошо, хорошо! — Данилов вымученно улыбнулся: — Я ничего такого... Просто, может, вы видели кого-то постороннего в вашем подъезде. Кого-то подозрительного?

— Нет! — снова в один голос воскликнули они. И парень закончил за двоих: — Мы уже говорили.

Данилов, попрощавшись, вышел из квартиры. Спустился на этаж и остановился возле опечатанных дверей, расположенных друг против друга. Расстояние между дверями было два с небольшим метра. Старика нашли застрелившимся в кресле в гостиной, а это от двери Лопушиных метров четыре-пять. Не мог он, конечно, не мог выстрелить почти дуплетом себе в голову после того, как прикончил с интервалом в четыре минуты Лопушиных.

Кто-то убил сначала его, потом их. Кто?!

Кто-то убил его и Лопушиных из его же наградного пистолета, пропажу которого он обнаружил незадолго до смерти. Кто?!

Тот, кто знал о существовании этого пистолета, — раз!

Тот, кто преследовал какую-то цель, избавляясь от этих людей, — два!. Кого же хотели убить? Старика или Лопушиных? Сценарий было придуман неплохо, спору нет. Но детали, детали были не продуманы. Непрофессионально.

Стрелок облажался, выстрелив собственноручно старику в голову. И выстрелил ему первому. Потом убил Лопушиных. Вернулся назад в квартиру к старику, вложил ему в руку пистолет и... и благополучно ушел.

Вопрос — куда?!

Никого постороннего входящим или выходящим из подъезда в момент убийства никто не видел. А за скандалом наблюдали многие, высунувшись из своих квартир. Выстрелы тоже слышали многие и наверняка в окна смотрели. Не видели никого. Значит...

Значит, убийца либо живет в этом подъезде, либо пришел из другого через чердак и также благополучно скрылся. Чердачные двери не заперты, его ребята проверяли. Ходи туда-сюда, не хочу. Либо — еще вариант — из подъезда выходил кто-то, на кого попросту не обратили внимания. Свой! Свой выходил!

Надо будет еще раз поговорить с населением. Они часто не обращают внимания на очевидные вещи, считая их несущественными.

Данилов вышел из подъезда и сразу разозлился. Этот наглец — хозяин магазина — снова перегородил проезд своей машиной. Так мало этого, подсунул ему записи с камеры видеонаблюдения, которые ни один компьютер в отделе не захотел прочитать. Данилову пришлось отдавать диски компьютерщикам. А там ведь как? Там вечно все заняты!

А как не зайдешь, они в «танки» режутся. Им-то что? Им-то неведомо, что ему три дня отпущено на поиски подозреваемого. Игорек ему, конечно, помогает, но остальных-то разбросали по другим делам.

Вбивая ботинками подсохшую грязь в асфальт, Данилов пошел к зданию ЖЭКа. Машина Филонова была на стоянке. В самом козырном месте — под навесом, где располагался противопожарный щит. Значит, на месте. Вот на ком он сейчас отыграется.

Не получилось. Евгений Леонидович выглядел так, будто доживал свои последние часы. Лицо бледно-желтого оттенка постоянно морщилось от боли, губы корчились, лоб покрывался потом.

— Что с вами? — вежливо поинтересовался Сергей, присаживаясь на удобный стул с пружинящей сетчатой спинкой. — Вам нехорошо?

— Да, мне плохо. Очень плохо. — Филонов припал к горлышку бутылки с минералкой. Высадил половину, отдышался. — Мне так плохо, что вы себе и представить не можете. Внутренности просто выворачивает.

— Пили вчера?

Данилов выразительно покосился на пустые бутылки в углу. Странно, что уборщица не выбросила.

— Она убирает в моем присутствии, — объяснил Филонов, проследив за его взглядом. — Не хочу, чтобы кто-то тут лапал что-нибудь без меня.

— Тоже верно.

— Что у вас за вопрос, Сергей Игнатьевич? — прочитав визитку, спросил Филонов. — Я чем-то могу быть вам полезен?

— На вашем подведомственном участке произошло тройное убийство, — дернул плечами Данилов. Глянул на отпотевшую бутылочку в руках Филонова: — Нет лишней-то?

— Ой, да не вопрос!

Кажется, он даже обрадовался. Согнулся пополам, открыл маленький холодильник, упирающийся ему в коленки, достал бутылку минералки, передал Данилову.

— Всегда держу холодненькую. На всякий случай. — Он хихикнул, но тут же поморщился:— Вот отраву продают, а!

Пить надо меньше, хотел посоветовать ему Данилов, насчитав три литровых пустых бутылки. Но сдержался.

— Так вот об убийствах... Они произошли на вашем подведомственном участке.

— А я-то тут при чем? — сразу осатанел Филонов, позабыв про желудочные колики и тошноту. — Я отвечаю за ремонт, состояние кровли, отопление. При чем тут я и убийства какие-то?

— Да не пугайтесь вы так, — хмыкнул Данилов, откручивая пробку минералки. — Вопросы формальные.

— Да?

Филонов недоверчиво покосился на следака. Не нравился тот ему своим спокойствием, очень настораживала его ленивая расслабленность. Насмотрелся Женя на таких, о-го-го! Говорят за жизнь с тобой, покурить предлагают, улыбаются, шутят о бабах, а потом раз — мерзкий вопросец в лоб. Сидишь, только что не в штаны не делаешь. А такой вот улыбчивый смотрит на тебя и мысли твои считает, считает. И в протоколе строчит.

Не нравился ему этот Данилов. Не лучше прочих многих. Минералку попросил, бдительность притупляет. Скоты они все! Все скоты!

Ох, Мазила! Ох, урод! Вот подставил так подставил. За каким чертом надо было следить за этой парочкой? Вот зачем? Напугать решил? Этот вот приятельски улыбающийся следак сейчас так напугает, что мама не горюй...

— Вы знакомы со Степаном Мазиловым? — как бы невзначай спросил Данилов.

Вот оно! Начинается! Кишки у Филонова свело судорогой. Что говорить-то?! Отрицать глупо, он, Мазилов, не раз свидетелем по всякого рода шкурным делам проходил. Да и сюда Степа не стеснялся приходить. Знакомства своего с ним не скрывал никогда. Урод!

— Знаком, — кивнул Филонов, загораживаясь от следака очередной бутылкой минералки.

— Откуда знакомы? — Данилов хищно улыбался.

— В детский сад ходили вместе, — огрызнулся Филонов. Пожевал посиневшими от боли губами и решил не выпендриваться: — А то вы не знаете! Без конца нас с ним таскаете. Чуть что в городе стряслось, нас с Мазилой тащите. Ладно он, человек все-таки отсидел. Меня-то за что?! Меня-то что в покое не оставить! Я честный, законопослушный гражданин, н-да.

Последние слова ему дались с большим трудом. Если бы братва сейчас услыхала, вмиг решила бы, что Филон ссучился.

А ему-то что, по большому счету?! Клал он на их мнение! Где она братва-то?! В Таиланде пузо греет?! Кинули его одного тут на растерзание волкам позорным. Нарисовались, козлы, а ему теперь отвечай!

— А чего это у вас, у честного и законопослушного гражданина, на участке без конца странные дела творятся?

Улыбнулся ему в самую печень гадкий следак.

— Что вы имеете в виду? Не понял?

Филонов всегда был слаб духом. Ссыклом мать его называла. Он им и был, спорить сложно. Но как-то всегда удавалось выворачиваться. Всегда! Решил попробовать и сейчас, хотя перед глазами плыл туман и душу тысячу чертей вместе с внутренностями выворачивали.

— У вас регулярно куда-то исчезают одинокие пожилые люди. И в их квартирах потом неожиданно селятся какие-то наследники. Это как?

— Вопрос к наследникам.

Филонов заметно расслабился. По этому вопросу их с Мазилой уже не раз вызывали. Доказать ничего не смогли. Все концы подчищены. Пошел он, следак этот!

— Та-ак, понятно. На контакт со следствием идти не желаем. — Данилов швырнул пустую пластиковую бутылку в угол к трем пустым из-под спиртного, решив особо не церемониться. — Странность-то в том, что перед их исчезновением и перед появлением наследников в небезызвестных вам квартирах появлялся Степан Мазилов или его дружки.

— Тогда к ним вопросы.

— Ага! А перед этим они появлялись у вас. Или после этого.

— Законом не запрещено общение со Степаном и его знакомыми тоже. Сидим, выпиваем, девочек можем снять и помиловаться с ними прямо вот на этом вот столе. — Филонов опустил обе ладони на стол, любовно погладил, будто и не стол это был, а женская задница. — Вы ведь что-то про происшествие недавнее хотели уточнить, Сергей Игнатьевич? Спрашивайте. Дела-то у меня стоят. Видели, сколько посетителей в коридоре? Гневаться станут, жаловаться.

Данилов скрипнул зубами:

— Ладно. Коли вам тут говорить неудобно и неуместно, вызову повесткой. Там вам привычнее, думаю, Евгений Леонидович. — Данилов сделал попытку приподняться с удобного стула с удобной пружинившей спинкой.

— Ой, ну что вот сразу! Ну что! — Филонов дернулся всем телом раз, другой, лицо его сделалось еще зеленее. — Любите вы, менты, понты колотить!

— Ага! Вот оно и личико проступило, — улыбнулся ядовито Данилов. — Менты! Понты! Могу привлечь за оскорбление, между прочим, гражданин Филонов.

Женя сердито засопел, разминая пальцами пластик бутылки. Пластик корчился, трещал, каждый звук отдавался противной болью в висках. Но самой основной головной болью был вот этот улыбчивый симпатяга следак. Такой и нож в спину не заметишь как воткнет, и все тоже с улыбочкой.

— Сергей Игнатьевич, ну извините, извините, — Филонов жалко улыбнулся. — Очень плохо себя чувствую, очень! Несу не пойми что. Вы спрашивайте по существу вопроса, спрашивайте. Может, чем и помогу. Хотя... хотя ума не приложу, чем конкретно.

— Что вы можете сказать по существу вопроса? — передразнил его Данилов. — Относительно погибших Лопушиных?

— Что скажу, что скажу...

Филонов надолго задумался. Промолчать о последней их встрече или рассказать? Про то, как нагло себя вел мужик и как удовлетворенно улыбалась баба? Рассказать или промолчать? Так народу в коридоре много было, наверняка кто-то слышал. А если слышал, мог уже и растрепать.

— Противные люди, — решился он со вздохом.

— В каком смысле?

Данилов заинтересованно глянул на Филонова. Если уж и его, афериста с многолетним непрерывным стажем, достали, то парочка действительно была о-го-го какая.

— Очень нехорошие люди, — Филонов стрельнул в него взглядом исподлобья. — Приходили тут ко мне требовать замены отопления. Говорю, на очереди вы, на очереди. Так такой скандал мне тут устроили! Мужик этот обнаглел настолько, что начал требовать радиаторы ему за счет ЖЭКа поставить. Говорю, как я их списывать-то стану? Улыбается, как урод, простите...

Если Лопушин обнаглел, значит, имел какие-то рычаги для своей наглости, тут же решил про себя Данилов. И тебя этими рычагами к стенке припер до такой степени, что заставил сердечные капли принимать после своего ухода. То есть Лопушин знал о каких-то филоновских темных делишках. Либо догадывался, либо знал наверняка. Потому и Мазила на следующий же день со своими дружками у подъезда Лопушиных отирался. Потому и по пятам ходили за супружеской парой, устроив им акт устрашения, чтобы рты не разевали где не надо.

Но вот стрелять...

Стрелять вряд ли бы они стали. Не такие они дураки. Нарисовались, не стереть, целый день проторчав в тачке у подъезда. Но чтобы еще и стрельбу устроить. Нет, не выходит. К тому же каким образом к ним попал пистолет старика? Это кто-то из своих. Точно, кто-то из своих. Придется внучку трясти на предмет выяснения хороших и не очень знакомых старика. Кому он мог довериться настолько, что показал, где прячет наградной пистолет?

— А давно они поселились в этом доме? — выслушав пространные стенания Филонова, спросил Данилов.

— Ой, ну вот я-то откуда знаю, Сергей Игнатьевич?! — всплеснул руками Евгений, лицо его исказила очередная болезненная гримаса.

— Вы, может, и не знаете, а вот ваша паспортистка должна это знать наверняка.

Паспортисткой оказалась та самая грудастая бухгалтерша, что встретила Данилова в ЖЭКе поутру. На вопрос, что так, ответила, что приходится совмещать обязанности, так как ставки паспортистки у них нет. А работу все равно надо вести. А они с Евгением Леонидовичем никому эту работу доверить не могут. Поскольку очень ответственно.

— Так ведь, Евгений Леонидович? — Раскрашенные в сумасшедше-фиолетовый цвет глазищи грудастой бухгалтерши обласкали обесцветившуюся до желтизны физиономию Филонова.

— Так, так, Анна Львовна. Вы сведения-то принесли? Вот и славно. Давайте, давайте их сюда. И ступайте, Анна Львовна. Ступайте.

Он поморщился. Взгляд его испуганной белкой промчался по мощному торсу и огромному заду женщины. Он снова подумал, что выпил вчера непотребно много, раз не помнит ни черта из их любовного свидания. Может, и не было ничего, а она просто так голой к нему в койку завалилась? Может, раздела его, себя и завалилась бесстыжей медведицей в надежде, что утром он хоть что-то сможет. А он не смог. И с ней, сто процентов, не сможет уже никогда. Лучше...

Он лучше пить бросит, вот! Чтобы все помнить. И не мучиться таким похмельем.

— Получается, что до того, как переселиться на ваш участок, эти двое жили в пригороде? Район Заславский...

Данилов задумался. Что-то подбрасывала ему память относительно этого района. Что-то нехорошее, болезненно нехорошее. Но сколько он ни думал, не вспомнил. Видимо, давно это было. И его не особо коснулось. Но то, что в этом районе что-то такое было, это сто процентов.

— Получается так. — Филонов повертел выписку с равнодушным видом, передал ее снова Данилову. — Нарушений никаких нет. Квартиру купили у предыдущих жильцов. Те переехали куда-то. Вот, все документы в порядке.

— А Воронцов жил тут давно?

— Сейчас спрошу.

Филонов нехотя набрал Анну Львовну, задал ей вопрос, выслушал ответ и что-то еще, видимо, раз морда зарозовела. Положил трубку с такой брезгливо вывернутой нижней губой, что Данилов его даже чуть пожалел. Домогается, видимо, бухгалтерша молодого начальника. Домогается. Не просто так стреляла тут разукрашенными глазищами.

— Да, Воронцовы жили тут давно. Старик сначала жил с женой и внучкой. Потом жена умерла, внучка выросла и купила квартиру по соседству. Могу тоже выписку организовать с ее адресом.

— Нет, не надо. Я знаю, где она поселилась.

Теперь Данилов поморщился как от зубной боли. Следовало внучку-то навестить, а не хотелось, страсть как. Дерзкая, весьма дерзкая девица. И... симпатичная. Он неплохо рассмотрел ее, когда провожал домой в ночь убийства. И на ощупь ее тело показалось ему замечательным.

А что такого-то? Ему же пришлось ее буквально тащить на себе! Ноги ее не слушались. Она все время норовила упасть на колени сначала на улице, потом в лифте. А он поднимал ее, прижимал к себе из соображений ее же безопасности. Это он делал руками, между прочим. И то, что его руки при этом ощущали, им очень понравилось.

Невзирая на трагизм момента, как сказал бы генерал Губин, с пониманием улыбаясь.

Но девица была умной и очень дерзкой. Могла что-то и запомнить из его неосторожных прикосновений. Говорить с ним может не пожелать по этой причине и по каким-нибудь еще, ему неведомым. Тащить ее на допрос в отдел Данилову очень не хотелось. А говорить было с ней нужно. Пора уже было поговорить с ней. Может, соседи ей что-нибудь сообщили? О чем умолчали в разговоре с ним и его помощниками. Может, она и без них что-то знала такое, способное пролить свет на всю эту историю?

К слову, никто не обмолвился сегодня о ее самодеятельных допросах, которые она учинила. Ни один человек. Из солидарности к ней или из неприязни к представителям органов правопорядка?..

— Больше ничего не хотите добавить по существу вопроса?

Данилов встал с удобного стула, шагнул к двери. Шагать далеко не пришлось: кабинетик у Филонова, хоть и прекрасно отремонтированный и не дурно обставленный, был крошечным.

— Нет, собственно, нет. — Филонов чуть приподнялся, боль в желудок тут же вернулась. Он поморщился, но все же решил, что нужно проститься на приветливой ноте, вежливо. И если уж не жать менту руку, то хотя бы проститься с ним следовало бы стоя. — Вы заходите, если вдруг возникнут вопросы и...

— К слову! — Данилов остановился у двери. — Куда же все-таки подевался господин Мазилов? Ни по одному из известных нам адресов его нет.

— Не знаю! — дернулся Женя, будто следак ему в желудок огненный прут вогнал. — Ну не знаю же!

— Точно? — Сергей убрал блокнот в задний карман штанов. Задумчиво качнул головой: — И не созванивались сегодня? Ничего такого? Нет?

— Нет. — Филонов еле сел, так болело внутри.

— А вдруг окажется... При более тщательном рассмотрении существа вопроса. — Данилов сатанистски сверкнул черными глазищами. — Что вы созванивались сегодня. Вдруг в распечатках ваших телефонных разговоров, которые я непременно затребую, засветится ваш диалог, а? Вы вспомните, вспомните, Евгений Леонидович.

— Хорошо, попробую.

Филонов прикрыл глаза. Силуэт следователя Данилова ежился, вытягивался, гнулся дугой, следак корчил неподобающие рожи, громко орал. От его крика Филонову заложило уши. Рот наполнился ядовитой горькой слюной. Он сделал попытку сглотнуть, но не вышло. И протянув руки в сторону вбежавшей громадной слонихи с лицом, что очень странно, Анны Львовны, Филонов медленно сполз под стол...

— Что там за переполох?

Саша стояла у распахнутой двери собственной квартиры, глядя мимо Данилова куда-то в сторону лифта. На ней были светлые льняные шорты чуть выше колена, клетчатая сине-черная рубашка с длинными рукавами, в которые она беспрестанно прятала ладони. И теплые черные носки.

— Где? — спросил он и, не дожидаясь приглашения — он мог его и не дождаться, шагнул прямо на нее.

— На улице. — Она попятилась, возмутилась, судя по взгляду, но не выпихнула. — Сразу две «Скорых» промчалось, я видела в окно. Витькину «Газель» чуть на крышу магазина не забросили.

— Там начальнику ЖЭКа плохо стало. Бухгалтерша вызвала сразу две бригады. А Витька ваш наглец, — проворчал Данилов, снимая ботинки у порога.

— Он не мой. — Саша тут же уставилась на крохотную дырочку на его носке, аккурат на большом пальце. — Он сам по себе, Витька.

— А ваш кто? Горячев? — Данилов смутился из-за носка, но не снимать же. Пошел за ней в комнату. — Александр Горячев, тридцати лет от роду. Подающий надежды юрист, красавец, спортсмен, бегом, кажется, увлекается?

— Увлекается.

Ее глаза с тоской глянули на дверной проем спальни. От Данилова это не укрылось. И, обнаглев окончательно, он в спальню заглянул. Маленькая комнатка, где с трудом разместились широкая кровать, зеркальный шкаф и две прикроватные тумбочки. Окно во двор с раздвинутыми темными тяжелыми портьерами и распахнутыми настежь створками. Две кофейные чашки на одной из тумбочек. И кофейное пятно на пододеяльнике.

Свидание случилось не так давно, решил Данилов. Если, конечно же, чашки не стоят тут уже неделю. А она попросту не убирала их. Не до того.

— Он был тут сегодня? — Данилов ткнул пальцем в сторону кофейных чашек.

— Не сегодня, — буркнула она недовольно и, нелюбезно оттолкнув Данилова от спальни, закрыла дверь. — Вам-то что?!

— Нет, ничего. Мне кофе не предложите?

Он прошелся по гостиной, просторной только оттого, что в ней практически не было мебели. Диван у стены, граничащей со спальней, телевизор на стене, кресло возле окна, два стула у входа. И еще большая напольная ваза с ворохом каких-то сухих стеблей.

— Вам кофе не предложу. — Саша села в кресло, уставилась на него с неприязнью: — Почему вы спросили про Горячева? Роетесь в моей личной жизни?

— И не только в вашей. — Он остановился возле напольной вазы, потрогал сухие ветки, тут же захрустевшие под его пальцами. — Я и в его личной жизни роюсь тоже.

— Из-за смерти деда? — Ее губы задрожали, глаза наполнились слезами, но через мгновение слезы высохли и взгляд сделался злым и тяжелым. Саша крикнула: — Отойдите от вазы! Что за манера постоянно что-то щупать?!

Ага! Значит, помнит? Помнит, как он тащил ее домой и держал немного, скажем, вольно, и не там.

— Чего вам дался Горячев? Он-то тут при чем?! — Она тряхнула коротко стриженной головой. — Когда я смогу похоронить деда?! Он... он уже несколько дней мертв и... и вы не имеете права!

— Послезавтра, Саша. — Данилов очень боялся, что она расплачется. Поэтому и пообещал, хотя и не был уверен. Но все равно повторил: — Я даю вам слово, что послезавтра вы сможете забрать тело вашего деда.

— Тело! — с горечью воскликнула Саша, задирая лицо к потолку, чтобы не расплакаться. — Был дед, а стало тело! Он... он очень славным был человеком, понятно? И что бы вы там ни придумали... Какое бы преступление ни пытались на него повесить... Это не он! Сначала пропал его пистолет, я знаю! Он его искал! Он думал, что это соседи сделали! Он с ними поскандалил из-за этого незадолго до своей смерти. Потом был один выстрел и следом сразу два. Как такое возможно? Вы следователь, вы должны были вычислить! Кто-то убил его! А потом этих Лопушиных! И пистолет... Он был у него в правой руке. Мне сказали. Тот, кто был там на

опознании, когда вызвали полицию, мне сказали...
А дед был левшой! Он не мог! Это не он!

Она все же разревелась. Горько, с причитаниями. Данилов попытался погладить ее по голове, но Саша оттолкнула его руки, велев убираться к черту. Данилову ничего не оставалось, как идти на ее кухню и, хозяйски полазив по шкафам, искать ей успокоительное. Уходить он сто процентов не собирался. Во всяком случае, прямо сейчас.

— Выпейте! — Он встал перед креслом, где она сидела, на колени, сунул ей в руки стакан с водой и пузырек с лекарством. — Я не знаю, сколько нужно капель, простите, Саша.

Она хлебнула прямо из пузырька, поморщилась, запила водой, вытерла лицо кухонным полотенцем, которое он зачем-то тоже принес. Глянула на Данилова мутными несчастными глазами:

— Вы... вы ведь понимаете, что я права?!

— Да, — кивнул он, сосредоточенно рассматривая крохотную родинку на ее голой правой коленке. Интересно, Горячев знает об этой родинке?

Зачем подумал? Ему-то что?! Данилов вздохнул, но взгляд как приклеился к ее коленке.

Видел ее, этот красавчик, подающий надежды юрист, блин? Ласкал пальцами, целовал? Захотелось тронуть ее — крохотную маленькую отметинку, бархатной точкой прилепившуюся к нежной гладкой коже.

— Вы знаете, что дед не убивал? — ахнула Саша, вскакивая и отпихивая его. — Вы знаете, что дед не убивал их... и себя?!

Данилов поднялся с коленок, кивнул, отворачиваясь к окну. Если она по его взгляду поймет, о чем он думал минуту назад, ему конец. Он, как лицо вдруг заинтересовавшееся ею конкретно, не имеет права вести расследование смерти ее деда и его соседей.

— Как вы узнали?!

Она подошла сзади к нему почти вплотную и горячо задышала ему в затылок. Наверное, ее дыхание было гневным. Скорее всего. Его же оно просто обжигало, это было волнительно и неправильно.

— Как вы узнали?! Я не говорила вам, что он левша!

— Экспертиза установила. И... и на его руках не было обнаружено следов пороха, что неизбежно при стрельбе. Вот так.

— Господи! Господи, спасибо тебе! Я знала, что это не он! Я была уверена...

Ее лоб вдруг уперся ему в плечо. Данилов окаменел. Сердце больно стукнулось и нырнуло куда-то под ребра. Тут же перед глазами всплыло чертово кофейное пятно на ее пододеяльнике и две кофейные чашки на тумбочке. И горячие губы, и пересохшее горло, сквозь которое с трудом пробирается ее судорожное дыхание. Запрокинутые нежные руки, и эта чертова родинка на коленке. Все это он увидел непонятно как. И одному Богу известно, каких трудов ему стоило не повернуться к ней и...

Он повернулся, идиот! Повернулся, обнял ее и прижал к себе. Он не имел права, он не должен был! Но руки помнили ее. И обняли ее привычно, как родную.

— Саша, Саша, вам надо успокоиться, — шепнул Данилов ей на ухо, не соображая, чье сердце колотится сильнее. — Вам надо успокоиться.

— По-моему, это вам надо успокоиться, гражданин Данилов! — возмущенно фыркнула она.

Снова его отпихнула, как давеча от двери спальни, — упершись крепко сжатыми кулачками ему в грудь.

— Я хочу, чтобы вы публично признали этот факт! — Она воинственно подбоченилась, выставив вперед правую ногу с пробившей ему мозг крохотной родинкой на коленке.

— Какой факт?

Он растерялся. Сейчас как скажет, что под этим она имеет в виду его непотребное поведение. Что он не имел права обнимать ее и прижиматься. Что не имел права ни о чем таком мечтать. А он мечтал! Сердце не обманывает, оно молотило так, что ее груди, наверное, было больно.

— Что мой дед не убийца! — возмутилась Саша. — Его имя...

— Простите, идет следствие, — оборвал ее Данилов. Кажется, она ничего такого не заметила. — Мы не может до определенного момента делать никаких заявлений. И вас я попросил бы пока молчать.

— Пока?! И как долго будет длиться это ваше пока?! — Она дунула вверх, сдувая прилипшую ко лбу челку. — Месяц? Год? Три? Все это время я должна буду жить с клеймом, что мой дед...

— Я надеюсь найти убийцу гораздо раньше, — перебил ее Данилов. — Не без вашей помощи, конечно.

— Моей? Помощи? — Саша растерялась, ее руки упали вдоль тела, голова качнулась. — Но чем я могу помочь?! Ума не приложу.

— Вам что-нибудь стало известно после того, как...

— После чего? — Она нахмурилась.

— После того, Саша, как вы самостоятельно устроили поквартирный обход. Я все знаю. Соседи вашего деда мне все рассказали, — приврал он безбожно. — Мне сказали, что вы решили самостоятельно искать убийцу, Саша.

— И что?! — отозвалась она с вызовом.

— Это неправильно. И это опасно.

Данилов со вздохом уселся в ее кресло. Смотреть беспристрастно на голоногую девушку, которую несколько минут назад прижимал к себе, было сложно. И пододеяльник этот с кофейным пятном еще ему дался!

Когда же здесь побывал Горячев? Игорек вчера рассказал по телефону, что Горячев на фирме отсутствует. Отпросился на несколько дней. Из-за проблем его девушки. Такая была мотивация. А тут он его не застал. В каком же месте он решает проблемы своей девушки? И можно ли надеяться, что девушка у Горячева какая-то другая? А если не другая, то проблемы Саши это всего лишь предлог?

— Опасно... — эхом повторила Саша, отошла к дивану, села, подобрав под себя ноги в теплых носочках. — Кому было нужно убивать трех пенсионеров? Зачем?! У вас есть версии, гражданин полицейский?

«С утра были, — с раздражением подумал Данилов. — К обеду рассыпались».

— Я знаю, что Лопушины поскандалили накануне своей гибели не только с моим дедом, — продолжила Саша. — Они был и в ЖЭКе и там грубо разговаривали с господином Филоновым. А кто такой Филонов, известно всем!

— И кто же он?

— Бандит! — фыркнула с негодованием Саша. — Это всем известно! Как ему удалось занять место директора ЖЭКа — не пойму!

Данилов, к слову, тоже не понимал.

— Так вот, буквально на следующий день его дружки весь день проторчали в машине возле подъезда, где вечером убили сразу троих человек. Троих, господин полицейский! — Саша с негодованием продемонстрировала ему три растопыренных пальца правой руки. — Это вам ни о чем не говорит?

— А о чем это должно мне говорить? — Сергей пожал плечами, не переставая таращиться на родинку на ее правой коленке.

— Ну вы вообще! — Она чуть не сказала «тупоголовый», но вовремя притормозила. — Бандиты, обиженные Лопушиными, весь день следили за ними, ходили за ними по пятам, а потом...

— А потом на глазах у всех постреляли? — закончил он за нее с насмешливой улыбкой. — Не скрою, Саша, у меня была подобная версия. Но...

— Но?

— Но маловероятно. Какими бы дураками они вам ни казались, они не будут рыть себе могилу собственными руками. Не стали бы они стрелять на глазах у всех. Время девяностых давно минуло, и слава богу! К тому же... — Он пристально взглянул на нее: — К тому же доказать, что они следили именно за Лопушиными, будет сложно. А то, что они ходили за ними следом в магазин, ничего не доказывает. Откуда им было знать, что у вашего деда был наградной пистолет? Объявления об этом на подъездной двери не висело, если что. И вот тут у меня к вам, Саша, первый вопрос: кто об этом знал, кроме вас?

Она ненадолго задумалась, покусывая нижнюю губу.

— Да многие знали, если честно, — призналась она со вздохом. — Дед любил похвастать наградами, пистолетом тоже. Не то чтобы кричал об этом на каждом углу, но в разговоре во дворе мог упомянуть.

— Где он его обычно хранил?

— В письменном столе, в бабкиной спальне, в резной деревянной шкатулке.

Саша опустила глаза, вспоминая вечер убийства, когда Данилов заставил ее осматривать каждую вещь для обнаружения пропажи. Шкатулку она тогда не нашла. Та нашлась чуть позже, в мусорном ведре, без единого отпечатка пальца. Об этом было известно Данилову, ей — нет.

— Кто мог проникнуть в квартиру к вашему деду в его отсутствие? Он кому-нибудь оставлял ключи?

— Нет! Никогда! И зачем? Он никуда не ездил. У него был один комплект ключей, у меня второй. Еще комплект хранился рядом со шкатулкой, в письменном столе. Его мы тоже не нашли, вы помните.

— Да, — коротко кивнул Данилов. — Следует предположить, что запасной комплект кто-то вынес из квартиры вашего деда вместе с пистолетом незадолго до его гибели. Кто это мог быть, как вы думаете?

— Я не знаю. — Саша опустила голову и неожиданно потрогала ноготком ту самую родинку, которая промозолила Данилову все глаза. — У деда не бывало гостей. У бабки часто были. У него, после ее смерти, — нет. Соседки заходили иногда в праздники или в день рождения. Угощали домашней выпечкой. Но...

— Но? — Он с трудом оторвал взгляд от ее ногтя, разрисовывающего коленку всевозможными узорами.

— Но сами понимаете, что соседки этого сделать не могли! Никто из них не навещал его в последнее время. Я это знаю точно. — Она посмотрела на него с болезненным вызовом.

Да, соседки вряд ли устроили стрельбу, подумал Данилов, вспомнив их всех поочередно. Но это могли быть знакомые соседок или их родственники. Это могли быть те, кто был заинтересован в гибели этих людей. Мотив! Каким был этот чертов мотив, заставивший сначала выкрасть пистолет у старика, а потом застрелить его вместе с соседями? Кому помешали эти трое?! Или двое? Или все же один? Или все же мишенью был старик? А соседи что-то такое видели или слышали, и их убрали как свидетелей? Или убрали для того, чтобы подставить старика под подозрение?

— Дверь была не взломана, — задумчиво проговорил Данилов. — Эксперты установили это на сто процентов. В квартиру к вашему деду проникли, открыв его дверь запасными ключами. Об этом тоже знали, знали о запасных ключах. Как такое возможно? Об этом тоже все соседи знали?

— Вряд ли. Пистолетом он, конечно, хвалился, а вот ключами... нет. Не слышала ни разу.

— Тогда логично предположить, что кто-то, зная о пистолете в письменном столе и решив его выкрасть, наткнулся на ключи и выкрал их попутно. И так же попутно в чьей-то голове зародились преступные мысли... Нет, белиберда какая-то получается. — Данилов состроил недовольную гримасу, продолжая говорить скорее для себя. — Чего так городить? Если хотели убить Воронцова, так и убили бы сразу, как пистолет забрали. Если только... Если только этот визит не был визитом, случившимся у всех на глазах.

— И попавшим в объектив камеры видеонаблюдения, — закончила за него Саша и подалась вперед: — Кого вы там увидели, Сергей Игнатьевич?! Кто попал в объектив?!

— Откуда вы знаете? — Данилов изумленно округлил глаза. — Ломов? Он проболтался?

— Почему сразу проболтался? Просто сказал. А что за секрет?

— Ну я же говорю вам, что в интересах следствия неразглашение — главное условие успеха, — заныл Данилов. — Виктор сказал вам. Вы сказали кому-то еще и... Саша? Что с вами?

Она обняла себя руками, сжалась и смотрела на него теперь такими несчастными глазами, что Данилов еле усидел на месте. Снова обнимать ее, сидящую на диване с голыми коленками, — это крах. Крах его твердости и непредвзятости.

— Я рассказала.

— Что? О чем?

— Я рассказала, что Витька отдал вам записи с камеры видеонаблюдения, — призналась она с болезненной улыбкой.

— Кому? — не придал он особого значения ее трагизму. Витька мог и сам разболтать всей улице.

— Горячеву, — прошептала она, бледнея.

— Горячеву? Александру? — зачем-то уточнил он, хотя сразу понял, о ком речь. Следующий его вопрос прозвучал непотребно ревниво: — Когда он был тут?

— Вчера... Он был у меня вчера, — проговорила Саша и покосилась в сторону запертой двери в спальню. — И мы...

Она могла бы дальше и не продолжать. Данилов скрипнул зубами. Что вчера «они» делали, он и так догадался по забытым кофейными чашкам на прикроватной тумбочке и кофейным пятнам, вылитым наверняка нечаянно на пододеяльник.

— Мы поругались, — закончила она совсем не так, как он думал. — Вернее, я выставила его.

— Почему? — Любопытство в его вопросе прозвучало совсем не профессионально.

— Потому что он мне солгал.

Саша зажмурилась, прикрывая ладонью половину лица. Что она прятала за своей пятерней? Гнев? Испуг? Боль? Отчаяние?

— Солгал?

Данилов нервно дернул шеей. Он ненавидел ложь во всех ее проявлениях. Никогда не врал даже во благо.

— Ты обречен на одиночество! — приговорила его как-то его девушка, теперь уже бывшая. — Никому не хочется знать правду до конца. Никому!

Данилов любил правду и ненавидел ложь. Вот так вот просто, без полутонов. Простые отношения, простую еду, простую удобную одежду.

— Скучно так, Сергей Игнатьевич, — возразил ему как-то Игорек, когда он отчитывал его за трепотню с девчонками в баре.

— А то, что ты назвался дипломатом, весело?! — вытаращился на него Данилов. Он честно не понимал, в чем прикол.

— Ну да, весело...

Данилов лично не считал вранье весельем. Гнусно это и отвратительно, считал он. И непременно выльется во что-то нехорошее, непременно.

То, что Горячев соврал Саше, своей любимой девушке, находившейся сейчас в беде, было отвратительно вдвойне.

— Надеюсь, он осознал свою вину? — буркнул Данилов после паузы.

— Наверное. — Саша отняла от лица правую ладонь, растопырила пальчики, глянула на них. — Пытался сделать мне предложение. Даже кольцо пытался подарить. Красивое.

Конечно, кольцо должно было быть красивым и дорогим. Наверняка с крупным сверкающим камнем. Потому что Александр Горячев не кто-нибудь, а подающий надежды юрист. Красивый крепкий малый, катающийся на роскошной дорогой иномарке, одевающийся стильно и дорого. С хозяйкой фирмы на короткой ноге. И вообще баловень судьбы и любимец женщин, раз такая девушка, как Саша Воронцова, его полюбила.

— И что вы?

Данилов кольца на широко расставленных пальчиках не увидел, значит, предложения Саша не приняла.

— Отказала и выставила его вон. Может, зря, как считаете?

Он не считал, что зря. Он обрадовался, потому что Саша ему нравилась. Хотя он и не имел права ни на радость, ни на симпатию. И даже в глубине души немного позлорадствовал. Вот тебе, Горячев, щелчок по носу, вот! С красивым кольцом тебя выставили. Не на ту девушку нарвался! Это тебе не покойная секретарша Сонечка, готовая ползать по твоим следам.

Господи! О чем он думает?!

— Что случилось, Саша? — одернул себя Данилов. — Почему вы повздорили? В чем он вам солгал?

— После того как я рассказала ему, что вы изъяли записи с камер видеонаблюдения у Витьки из магазина, Саша сразу занервничал. — Она виновато покусала нижнюю губу. — Мне так, во всяком случае, показалось. И потом...

— И потом?

— Потом вдруг признался мне, что был у моего деда в гостях.

— Да ладно! — Данилов напрягся. — Когда?

— Вот не сказал точной даты. Но это не может быть правдой, понимаете? Если бы он был у моего деда в гостях, дед бы мне непременно рассказал. А он ни словом не обмолвился.

— Может, не успел? — проговорил Данилов задумчиво. — Может, это было в день его смерти?

— Вот только разве так. — Саша подняла на него несчастные глаза: — Но Горячев отрицает.

— То есть?

— Он отрицает, что был у деда в день его смерти. Он говорит, что приходил к нему то ли за день, то ли за два до этого. Точно будто бы не помнит. Но как можно не запомнить, если дед выставил его?

— Выставил?

— Да, Саша утверждает, что приходил к деду просить моей руки. А дед не захотел с ним говорить. Вот... — Ее губы горестно выгнулись.

Старик запросто мог выставить этого хлыща, подумал Данилов. Мог не простить того, что Горячев отвернулся от своей девушки, когда ее обвинили в шпионаже. Он же отвернулся! Он же не встал на ее защиту! И потом не сделал ни единой попытки ее оправдать. Все ждал, когда это за него сделают другие. Соседова, к примеру.

Отвратительный тип, сделал заочный вывод Данилов. И еще раз порадовался, что Саша не приняла его кольца. Но это первое...

А вот второе могло оказаться не в пользу Горячева. Если на записях с камер наблюдения Данилов обнаружит этого юриста снующим по двору, то у него будет очень много к нему вопросов. Очень!

И когда Данилов уже шел к своей машине, простившись с Сашей, то вдруг подумал, а не потому ли придумал Горячев свой визит к старику, что засветился во дворе в день убийства? Мог ничего не знать про камеру на магазине и засветился. И тут же с ходу рассказал своей девушке странную историю, проверить которую нет никакой возможности. Главный свидетель-то мертв...

ГЛАВА 12

Заломов медленно водил безопасной бритвой по шее. Он очень боялся порезаться. Невзирая на то что рекламный ролик обещал приятное и безопасное бритье, он все равно боялся. Его рука может дрогнуть в самый неподходящий момент, тройное лезвие не под тем углом пройдется по коже, по его морщинистой коже, срежет какой-нибудь чирей, и Заломов непременно истечет кровью. Упадет на яркий кафель в ванной и истечет кровью. Никто его не хватится, никто. Потому что он никому не нужен. Он старый, ненужный.

Василий Васильевич опустил руку с бритвенным станком в раковину под струю воды. Белоснежный фаянс тут же покрылся мелкими щетинками. Он смыл их и со вздохом снова осторожно провел станком по шее. Кажется, все. Можно умываться, мазать лицо кремом, которое ему рекомендовала Лилечка.

Вспомнив про молодую жену, которую несколько дней назад выгнал из дома, Заломов загрустил. Может, зря он с ней так? Может, чересчур жестко? Может, следовало для начала наказать? Лишить довольствия на пару месяцев, посадить под замок? Запретить всех подруг, массажистов, косметологов? Может, одиночество в запертой квартире помогло бы вправить мозг его молодой жене?

Но вспомнив ее искаженное ненавистью лицо, когда Лилечка принялась собирать чемоданы, Заломов со вздохом признал свою правоту.

— Ты думаешь, я с тобой по любви, что ли, старый пень? — орала она, выплевывая слюни. — Мне есть кого любить, старая сволочь! Есть, есть, есть! Денег он мне не даст, подумаешь! Найду где взять...

Нет, наказать рублем Лилечку не получилось бы. У них и скандал вышел именно из-за денег. Вернее, потому, что он ей отказал в очередном транше. Она взбесилась, принялась угрожать ему, и он ее погнал.

Нет, ну надо, какая нахалка! Решила шантажировать его. И из-за чего?! Только из-за того, что обнаружила в его компьютере то, что обнаружить не должна была. И ладно. Он не очень боится. Его интерес вполне обоснован. Он не только о ядах тогда читал, но и противоядиях. Так, на всякий случай. Вдруг и его надумает кто-то отравить.

Заломов с громким фырканьем умылся, глянул на свое отражение в зеркале.

Старый, усталый, отвратительно побритый. А все почему? Потому что боится бриться тщательнее. Боится порезаться, истечь кровью. Боится... смерти.

Да, пора признаться в этом самому себе, Вася. Пора! Он боится смерти. От руки убийцы боится, вот! Слишком много в последнее время странных событий происходит, слишком много.

Сначала попалась на шпионаже Саша Воронцова. Ну, попалась и попалась, денег захотела, видимо. Он даже внимания особого не обратил на этот случай. Мало их, длинноногих вертихвосток, желающих заработать любым путем и втирающихся в доверие к приличным людям?

Но потом...

Потом погибли от руки отравителя бедная девушка Соня и Генка Савельев. Это было так странно. Так чудовищно странно. Отдавало каким-то Средневековьем, безжалостным, кровожадным. Это вам не диск с информацией из офиса вынести. Это уже убийство!

Под подозрение попали все, он в том числе. Это угнетало Заломова больше, чем неудачи в личной жизни. И не только в подозрении было дело, а в элементарном страхе за собственную жизнь.

Дальше — больше!

Несколько дней назад по офису гигантской волной прокатилась новость о страшном убийстве пожилых супругов и самоубийстве деда Саши Воронцовой. Будто бы он в пылу ссоры их застрелил, а потом покончил жизнь самоубийством.

Заломов насторожился, начал прислушиваться, наблюдать.

Офисные курицы на все лады слюнявили новость, фильтровали ее своими длинными языками. И через пару дней после происшествия по офису зашептались о дурной наследственности.

— Если дед такой неврастеник, что можно ожидать от внучки?! — таращили друг на друга глаза офисные сплетницы.

— Может, уже и дождались, а? — загадочно мерцали ответные взгляды. — Горячева-то она сильно к Сонечке ревновала. А после того как ее из офиса убрали на неопределенный срок, так вообще...

У Заломова просто разрывался мозг от всех этих бабских разговоров. Он слушал, хмурился, хмурился и сопоставлял. Находил все это нереальным, невозможным. Но, с другой стороны, он давно привык извлекать из всей этой словесной шелухи рациональное зерно. И извлек.

Что, если Саша в самом деле задумала отомстить своим обидчикам? Ее публично опозорили, подсунув ей диск с информацией в сумочку. Ее буквально погнали с работы, хотя Соседова это и назвала вынужденным отпуском. Все же понимали, что это не так.

Поймана с поличным! И выдворена домой с рабочего места до выяснения. То есть на тот срок, пока идет внутреннее расследование, проводимое службой безопасности. Вот как это называлось.

Это разве не пощечина? Это удар! Да еще какой! А если она при этом не виновата? Если ее подставили? Стала бы она мстить обидчику, узнай она, кто это? Стал бы мстить, к примеру, Заломов, окажись он, тьфу-тьфу-тьфу, на ее месте?

Стал бы! Он бы не позволил мерзкой твари потешаться над собой! Не позволил бы ему продолжать жить дальше спокойно и беззаботно. И издевательски хихикать в тишине собственной спальни, перед тем как уснуть, над глупым стареющим Заломовым.

Саша Воронцова, он думает, тоже стала бы мстить. У нее вон какие корни. Дед кадровый военный, чуть что хватающийся за пистолет. Кровь горячая, характер норовистый. Внучку он сам воспитывал. Она другой быть не может. Стало быть, и на месть способна.

Только вот как?! Как она могла отомстить, сидя дома?

Правильно! Совершенно верно, Василий Васильевич! Она отомстила своему обидчику, правильнее — обидчице, чужими руками. Руками Александра Горячева. Именно он всыпал яд в кофейник в тот вечер после совещания. Он решил убрать Соседову с ее кресла и отправить в мир иной. Потому что так хотела его любимая девушка, потому что того требовала справедливость.

Но случилось непредвиденное. Соседова не стала пить кофе. Может, и выпила бы, да ее чашку перехватили. И она осталась жива. Погибли невинные люди, случайно попавшиеся.

Да, это сделал Горячев. После долгих раздумий и построения письменных схем Заломов в этом уже не сомневался. Да и, по логике вещей, господа, кто еще это мог быть?! Их после совещания в кабинете оставалось трое: Заломов, Горячев и Савельев. Савельев умер, он яд себе сам не подсыпал бы. Заломов этого не делал и знал об этом совершенно точно.

Оставался Горячев. Он это сделал! И мотив очевиден — месть за любимую девушку.

Когда Заломов до этого додумался, он еле сдержался, чтобы не побежать к Соседовой и все ей рассказать. Глупец! Стала бы она его слушать, раз заранее обвинила во всем самого Заломова? Да и с Горячевым они в последнее время стали чрезвычайно дружны. Он буквально сделался ее доверенным лицом. Еще бы! После того как она реабилитировала Сашу Воронцову в глазах общественности. Вчера даже сумку ей нес до машины. Небось мучается теперь, что хотел ее отравить. Вот и шестерит, высунув язык.

Нет, слушать Заломова Соседова не станет. Если только он не предоставит ей неоспоримые доказательства вины Горячева. А как это сделать? Как?! Не детектива же нанимать в самом деле. Его активы и так изрядно потрепаны любимой супругой. И в полицию не пойдешь. Там тоже Заломова никто слушать не станет. Он там сам в черном списке.

И решил Заломов за ним последить. Просто пару дней поездить за красавчиком юристом и понаблюдать. Где бывает, чем занимается, с кем дружбу водит. Сначала соберет сведения, а потом уже решит, что с этим со всем делать. И Заломов даже для этих своих шпионских штучек выгнал из старой «ракушки» ржавого «жигуленка», о существовании которого он и сам начал понемногу забывать. Ничего, пофыркал старичок, пофыркал и завелся. Заломов загнал его во дворе в самый дальний угол, решив после работы пересесть в него и поездить за Горячевым. А для этого придется с работы уехать пораньше, чтобы Горячева принять у самых ворот. Иначе как?..

— Саша, день добрый, — холодно улыбнулся Горячеву Заломов ближе к обеду. — Уже вышел на работу?

— Да, Василий Васильевич, дела! — на подъеме воскликнул Горячев, широко разведя руками, упакованными в рукава дорогого пиджака. — Алла Юрьевна без меня просто не может!

«Еще бы! — скрипнул зубами Заломов. — Старая дура млеет от твоих улыбок и лести. Вся бухгалтерия на ушах на предмет нового осеннего гардероба начальницы. Юбки выше коленей! Это как?»

Старая дура...

— Как Саша? — спросил Заломов в крепкую, как крепостная стена, спину Горячева. Тот, не успев поздороваться, уже заспешил куда-то.

— Что?! — Крепостная стена дрогнула, Горячев обернулся, сумрачно глянул на главного бухгалтера: — Саша?

— Да, Саша. — Заломов сделал грустное лицо. — Слышал, ей досталось в последнее время?

— Да, у нее беда. Ее дед... Он такое устроил... — Глаза красавца на мгновение закатились.

— Слышал, ты отпуск брал, чтобы быть с ней рядом? — Заломов уловил в его лице замешательство. — Что же так рано вернулся?

Лицо Горячева окаменело. Он мгновенно облокотился плечом о стену, став похожим на опорное сооружение — живое и симпатичное. Сунул руки в карманы плотных брюк, глянул с насмешкой на Заломова. Через минуту после того, как осмотрел Заломова сверху донизу, дав понять бедняге, насколько нелепым тот выглядит в толстом пиджаке, легких брюках и ярко-рыжих мокасинах, спросил:

— Вам-то что до этого, Василий Васильевич?

— В смысле?

Заломов полез в карман пиджака, чтобы достать платок, чтобы вытереть чертов пот, прилепивший его редкие волосы к черепу, как водоросли к старому влажному валуну. Но вместо платка нащупал что-то тонкое и ажурное. Трусики! Господи, хорошо, что не вытащил их из кармана. Лилечкины трусики. Он покраснел, вспомнив, как стаскивал их суетливыми лихорадочными движениями на заднем сиденье своей машины. Как ныли его колени от неудобной позы, как хихикала над его неловкостью Лилечка.

Ей постоянно хотелось какого-то экстрима в сексе. То в машине на стоянке, то в кухне на столе, то на стиральной машине в ванной комнате. Заломов подчинялся, хотя и не понимал, зачем все это, если есть широкая и удобная кровать в спальне?

— Вам-то что до этого, Василий Васильевич? — повторил вопрос Горячев, впившись подозрительным взглядом в карман Заломова.

Будто чуял, поганец, что там прячется у старого главного бухгалтера.

— Просто интересуюсь. Она... она не чужой нам всем человек, Саша. Переживаю, — фальшиво улыбнулся Заломов, смахивая пот ладонью.

— Что-то не особо вы переживали, когда обвиняли ее во всех мыслимых и немыслимых грехах, Василий Васильевич, — укорил его поганец, прищурив глазищи. — Одним из первых набросились. Разве не так?

Если бы воля вольная! Эх, если бы не старость и не дряхлость мышечная! Разве не всадил бы он ему теперь кулаком в зубы? Не свернул бы его холеное красивое тело в бараний рог?

— Да и ты своей широкой спиной прикрыть ее не особо старался. Разве не так? — вернул ему вопрос Заломов и ушел.

На негнущихся, подрагивающих ногах он вернулся к себе в кабинет, осторожно, стараясь не хлопнуть, закрыл дверь. Тут же до боли закусил кулак, чтобы не взреветь от ненависти и обиды.

Что позволяет себе этот хлыщ?! Что он о себе возомнил?! Как посмел говорить с ним таким тоном?! Кто он такой?! Юристишка сопливый! Дрянь! Подлая дрянь!

Ну, ничего, ничего, он ему устроит. Он ему устроит...

В три часа пополудни Заломов уехал с работы, буркнув на вахте, что по делам. Доехал до своего дома, пересел в старые «Жигули» и в половине пятого торчал на соседней с офисом стоянке. Ему не нужны были темные очки, широкополая шляпа и приклеенная борода. Подобная конспирация была лишней. Его и так невозможно было увидеть за темными стеклами старенькой машинки.

Да Горячев даже в сторону старой рухляди и головы не повернул, когда выезжал за ворота фирмы. Он очень торопился, возможно, куда-то опаздывал, несколько раз пролетал на желтый сигнал светофора. А может, манера езды у него такая была, кто знает?

Заломов не торопился, правил не нарушал. Его и так могли остановить за незаконную тонировку, поэтому не следовало лезть на рожон. Он ехал тихо, но машину Горячева из виду ни разу не упустил. Пусть вдалеке, но видел его стоп-сигналы. А если и не видел, то безошибочно угадывал маршрут Горячева.

Почему? Да потому что ему казалось, что он догадывается, куда мчит их подающий надежды юрист. Он как-то пару раз видел его машину именно там. Просто случайно попадалась ему на глаза, когда он проезжал мимо. Заломов глянул и тут же забыл. А сейчас ехал по памяти. По наитию, если хотите.

И не ошибся!

Горячев доехал до высотки, ткнув бампером своего автомобиля жухлые астры на клумбе. Вышел, поставил машину на сигнализацию, но все равно проверил все двери зачем-то. Покрутил головой так, как если бы ждал с кем-то встречи или, наоборот, встречи этой опасался. И через мгновение исчез за дверью, над которой висела невзрачная вывеска.

«Ремонт компьютерной и игровой техники» — вот что было выведено не особенно искусно на фанерном щите метр двадцать на семьдесят сантиметров. Но Заломов знал, что там, внутри, за металлической дверью, выкрашенной обычной охрой. Там семь ступенек вниз по плохо освещенной лестнице. Еще одна дверь, за ней — высокая стойка, за стойкой — стеллажи со всяким компьютерным хламом. И парень с манерами ленивого тюленя и сонной мордой, ощупывающий всяк входящего цепким взглядом хищного зверя. Парень сидит на высоком стуле и листает толстые журналы, он не занимается ремонтом компьютерной и игровой техники. Он следит за порядком помещения, находящегося за стеллажами. Не позволяет посторонним проникнуть туда. И не позволяет выйти оттуда тому, кто должен.

Казино! В этом подвале располагалось казино! И не просто какая-то там забегаловка с дюжиной игровых автоматов и потными чудаками, трясущимися перед ними в ожидании джек-пота. Нет! Там все было очень круто. Публика туда ходила крутая, и крыша у этого заретушированного под ремонтный салон заведения была крутая. Не каждого всяк входящего за железную дверь туда пускали.

Заломов знал, потому что ходил туда пару раз с Лилечкой. Их проводила туда ее подруга. А у подруги там парень работал за игровым столом. Вот такая вот связь. А теперь туда вошел Горячев Александр. И вошел не впервые, раз его машину в этом месте Заломов видел не единожды.

— Получается у нас что, Сашенька? — прошептал Заломов, любовным взглядом лаская тяжелую металлическую дверь цвета охры. — Получается, ты у нас игрок?

ГЛАВА 13

— Женька! Женька, открывай глаза, хватит придуриваться!

Голос матери, всегда казавшийся резким и неприятным, вдруг отозвался непривычным теплом в сердце. Может, потому, что в голосе отчетливо слышались слезы? Или потому, что он вообще мог слышать хоть что-то и осознавать, что жив?

Филонов попробовал открыть глаза. Получилось, но не очень. Веки были тяжелыми, почти неподъемными. Ресницы спутались, и сквозь их частокол видно было плохо. Но голову матери, склонившуюся к его коленям, укутанным больничным одеялом, он рассмотрел.

— Ма... — попытался он позвать, но получился лишь слабый сип. Он глубоко вздохнул, понял, что нигде-нигде не болит, и позвал снова: — Ма...

Голова матери дернулась, приподнялась. На Филонова глянули зареванные глаза в сетке вздувшихся от слез морщин.

— Господи, Женька! Слава богу, ты очнулся! — Мать всплеснула руками и полезла сразу к нему целоваться, причитая: — Придурок чертов! Когда ты только нажрешься?! Сколько можно говорить: не пей, не пей, не пей! А ты все одно хлещешь водяру, как приговоренный... Доктор! Доктор!

Она завизжала так пронзительно, что глаза у Филонова распахнулись сами собой. Пока мать бегала за доктором, он осмотрелся. Больничная палата, хорошая, чистая, видимо, дорогая, раз с телевизором и холодильником и даже цветочными горшками на подоконнике.

Как же он сюда попал? Помнил утро, хорошо помнил, потому что проснулся в койке бог знает с кем. Потом неплохо помнил разговор с Мазилой. Потом вспомнил, но уже хуже, разговор со следователем, который притащился к нему в кабинет, стоило ему там появиться. Они говорили, пили минералку, вызывали без конца бухгалтершу. А затем ему сделалось так худо, что он упал прямо под стол.

И все. Темнота после острого приступа боли.

Перепил, называется? Что-то как-то не похоже на отходняк-то. Может, его отравили?! Дружки, с которыми он пил накануне, а? Может, они притащили бухло с отравой? Намеренно или случайно?

Филонов почувствовал, что устал, и прикрыл глаза. И тут же подумал, что не могла его братва травануть. Они и сами бухали из тех же бутылок, что и он. Просто, может, так вышло, что его организм не выдержал сразу и столько вина, и... столько Анны Львовны, с которой он провел ночь.

Тьфу-тьфу-тьфу!

Вот напасти на него, так напасти! Сначала Лопушины эти к нему цеплялись. Потом, когда их кто-то перестрелял, к нему менты прицепились. А теперь еще и болезнь какая-то.

Нет, а может, все же его отравить хотели? Он слышал краем уха от Мазилы, что на фирме одной в их городе сразу двух человек грохнули подобным образом. Может, маньяк какой орудует? Или все же братва?..

Мать вернулась с пожилым доктором минут через пятнадцать. За это время сто раз можно было подохнуть, подумал Филонов, неприязненно оглядывая белоснежный халат и стоящую колом шапочку врача.

— Он очнулся. Я же говорю! — Мать тоже, видимо, осерчала на неторопливого эскулапа.

— Это хорошо, что очнулся.

Доктор присел на стул рядом с кроватью, но даже не сделал попытки пощупать у Жени пульс. А Филонов не раз видел в кино, что пульс врачи сразу щупают, когда рядом присаживаются. Может, заразиться боится? А-ах, а может, он заразный?! Может, это не отравление, а какая-нибудь африканская дрянь?! И он теперь...

— Что со мной? — подрагивающим от страха и слабости голосом спросил Филонов. — Я... я умираю?!

— Ну-у, это перебор, — ухмыльнулся не по-доброму доктор. — Все в порядке сейчас. Уже все в порядке. Хотя, это с какой стороны посмотреть.

— В смысле? — Филонов вцепился потными ладонями в край тощего одеяла.

— Если не прекратите так злоупотреблять спиртными напитками, то можете до сорока лет не дожить.

— Да-а? — ахнула за спиной доктора мать, испуганно тараща зареванные глаза на сына. Тут же погрозила ему кулаком: — Говорю, говорю ему, все без толку! Все дружки твои, Женька! Степка этот, урод! Ему-то что! Он после тюрьмы гвозди может жрать и соляной кислотой запивать, ему все равно. А ты у меня...

Доктор озадаченно взглянул на пожилую женщину, потом перевел глаза на больного, подумал, беззвучно пошевелив губами, и через минуту из палаты исчез.

— Мать, ты чего тут раскудахталась? — прикрикнул, насколько это было возможно, на нее Филонов.

— А чего не так? — Мать сразу обиделась.

— На фига про тюрьму тут рассказывать, про Степку? Я все-таки статус какой-никакой имею. Ко мне уважение некоторые проявляют, а ты опускаешь меня перед докторами.

Женя отвернул голову к окну, за которым во все стороны расползлись серые облака.

— Ой-ой, скажите, пожалуйста! Статус он имеет! — зло оскалила мать дорогие белоснежные зубы, оплаченные, между прочим, сыном. — Да срать они хотели на твой статус тут все! Не было бы денег, статус бы твой не помог. А за бабло-то тебе и палату отдельную с душем и туалетом отдельным, и спецпитание организовано. Статус... — фыркнула она уже чуть спокойнее. Тут же с ехидной ухмылкой покосилась на дверь: — А уважение-то твое в коридоре вторые сутки мается.

— Не понял?! — вздрогнул Филонов и тут же подумал про следака.

Неужели и тут решили ему покоя не давать? Неужели и здесь мент станет к нему цепляться?!

— Ты про что, мать?

Женя вылез из-под одеяла до пупка. С удовольствием отметил, что на нем его домашняя шелковая пижама, а не больничные полосатые тряпки, воняющие хлоркой от стирки.

— Я про твое уважение, — продолжила ядовито радоваться мать. — Которое своей толстой попой все больничные стулья отутюжила. Скрип, я скажу тебе, стоит на все отделение.

— Не понял, ты о ком? — Женя снова уставился в окно.

Он прекрасно понял, о ком идет речь. Но все еще надеялся, что у толстой бухгалтерши хватило ума сюда не являться. Офигела она, что ли, в самом деле! Если спьяну приволокла его домой и раздела догола, то что? Решила, что он должен соблюсти приличия и жениться на ней, что ли?!

— Я о Нюрке твоей жопастой. — Мать отодвинула от своей плоской груди обе ладони на полметра. — И о сисястой! Столько мяса, Женечка! Ты чего так проголодался-то?

— Анна Львовна тут? — стараясь, чтобы голос его звучал строго и официально, спросил он у матери. — Что-то на работе случилось? Опять мусора?! Хватит ржать, мать! Меня ведь с работы увезли, когда следак меня доставал, поняла? На моем участке три трупа! Три трупа, поняла?! И они теперь там роют так, что шахтеры, того гляди, полезут.

Ее глаза недоверчиво прищурились. Голова с зализанными в крохотный хвостик сальными волосами качнулась. Губы выгнулись ломаной линией, когда она произнесла:

— Ну не знаю, Жень... По работе она так убивается или из-за тебя... Но рыдала же!

— А, она по любому поводу рыдает, натура у нее такая, — беспечно махнув рукой, соврал Филонов. — Чуть что, сразу в слезы.

Врал он безбожно. За все время, что он проработал бок о бок с Анной Львовной, он ни разу не видел ее плачущей. Ни разу! Она выдерживала любое контрнаступление озверевших от жэковского беспредела жильцов. Усмиряла любых контролеров. Любой проверяющий выходил из ее кабинета умиротворенным и обласканным. Никто не знал, Филонов в том числе, чего ей это стоило, но безобразно накрашенные глаза его бухгалтерши всегда оставались сухими. Всегда! Чего теперь-то она рыдает, как утверждает мать, вторые сутки?

— Она все еще здесь? — спросил он после недолгих раздумий.

— А как же! — ухмыльнулась мать и погладила свою тощую задницу. — Сидит и плющит своей толстой попой больничный инвентарь.

— Позови ее. А сама выйди.

— А как же! — Губы матери растянулись в широкую улыбку, отвратительную, с намеком. — Могу ли я помешать этой жирной корове заниматься с моим мальчиком чем-то интересным?

— Мать! Прекрати! — прикрикнул Филонов.

Тут же подумал, что своей порой нескладной жизнью он обязан только ей. Ни дружкам, которые подначивали и подталкивали, а именно матери. Она растила его злобным и завистливым, приучила его осторожничать и трусить. И на законы ей всегда было наплевать. Потому и ему было наплевать на них тоже. Не поверит он никогда и никому, что в благополучных семьях вырастают уроды. Не поверит! Либо семья не без червоточины, либо на урода было всем наплевать в этой самой благополучной семье. Там, только там, в семьях в этих долбаных, причина всех моральных уродств. Оттуда все растет вместе с ногами: и злоба, и жестокость, и ненависть, и беспощадность.

— Ладно, ухожу, ухожу. Решайте тут свои производственные вопросы.

Мать безошибочно уловила перемену в его настроении. Сделалась тихой и смиренной, пока чистила его тумбочку и поправляла постельное белье. Подхватила сумку, в которой принесла ему апельсиновый сок, который он терпеть не мог. Да ему его и нельзя сейчас было. И вареную курицу, которую доктор тоже пока запретил. Поцеловала его в лоб. Как покойника, подумал Филонов с раздражением и тут же тщательно протер место ее поцелуя пододеяльником. И вышла прочь из палаты.

Но она бы была не она, если бы не съязвила перед тем, как исчезнуть за дверью:

— Только вы уж смотрите, не шибко шумите, когда вопросы-то свои рабочие будете решать. Может, подежурить у двери-то, а, сынок?

— Мать, уйди! — взревел Филонов и еле удержался, чтобы не запустить в нее подушкой, сил просто могло не хватить. — Анну Львовну позови немедленно!

Бухгалтерша вошла в дверь через минуту с большущей сумкой. В белоснежной накидке поверх строгого черного платья, закрывающего ее массивные колени. Аккуратной прической с черными неброскими заколками. В черных туфлях-лодочках на высоких тонких каблуках. И с распухшим от слез лицом. Филонов ее едва узнал. Без макияжа она показалась ему почти молодой и не такой противной.

— Евгений Леонидович, как вы?! — ахнула она, с грохотом передвигая к его изголовью стул, на котором сначала сидела его мать, а потом доктор. — Господи, я чуть с ума не сошла от страха!

— Нормально. Все нормально. Доктор сказал, пить надо меньше. Надо меньше пить, — попробовал пошутить Филонов и отвел взгляд.

Чувство неловкости, что он видел эту женщину без одежды и она его тоже, не отпускало. Пришлось повыше подтянуть одеяло. Анна Львовна тут же нашла взглядом брешь на его груди между пуговицами пижамы и уставилась туда.

— Слава богу! — воскликнула она, переводя взгляд на его лицо, когда он, как щитом, загородился от нее одеялом. — Мы все так перепугались! Подумали... подумали, что и вас отравили!

— Почему это и меня? Кого еще отравили?

На ум сразу пришла история, рассказанная Степкой про отравленных сотрудников какой-то фирмы их города.

— Ой, знаете, в городе такое творится! — всплеснула руками Анна Львовна. — Желтая пресса просто с ума сошла, расписывая на все лады эту историю с отравлением на фирме, где работала эта самая внучка, чей дед пострелял наших жильцов! Считают, что есть какая-то причинно-следственная связь между всем этим. Ужас!

— Брр! — Филонов замотал головой, не сразу уловив смысл в ее дикой скороговорке. — Еще раз, Анна Львовна! Я не понял! Какая внучка? Какой дед? При чем тут отравление?!

— Я толком и сама не поняла, — призналась Анна Львовна и осторожно положила ладонь с уни-

189

занными тяжелыми перстнями пальцами на койку рядом с его локтем. — Прочла вчера в газете статью про то, что странные вещи творятся вокруг этой девушки.

— Какой девушки?!

— Александра Воронцова. Она тоже живет на нашем участке. В доме почти напротив того дома, где стрельба произошла. Вы, может, даже и знаете ее. Такая высокая, длинноногая, с короткой, очень короткой стрижкой. Она еще вечно собачится с хозяином магазина из-за того, что тот машину свою на выгрузку поперек дороги ставит. И даже к нам приходила не раз с жалобой.

Вспомнил! Он точно вспомнил эту девчонку! Он даже сам говорил с ней, когда она шум подняла из-за Витькиной «Газели». Такая «лялечка», как сказал бы Степка Мазила! Высокая, худенькая, глазищи такие красивые, что у Филонова при встрече с ней екнуло что-то в низу живота. И губы... яркие такие, зовущие. Хотя в тот момент этот рот и выплевывал ругательства.

— И что эта Воронцова?

— Так это ее дед стрельбу-то устроил, из-за которой нас в покое не оставляет полиция! — Анна Львовна, уловив в его воспоминаниях какой-то волнительный момент, ладонь по-свойски сдвинула ему на локоток. — А до этого ее на фирме уличили в шпионаже.

— Опа! — Филонов оторопело уставился на бухгалтершу: — Не может быть! Она такая с виду... порядочная.

— Ага! Порядочная! — со злостью фыркнула Анна Львовна, и ее пальцы, сноровисто сдвинувшись, обвили его предплечье. — Только почему-то сразу после того, как ее из фирмы погнали, там сразу двоих отравили! А потом эта жуткая стрельба! Может... может, она это все и устроила?!

— Да ладно! — фыркнул Филонов и даже рассмеялся.

Степка Мазила, отмотавший не один срок за всякие паскудные дела, и то на такое не сгодился бы. Такую схему придумать! Хотя...

Девка грамотная, образованная. И что немаловажно — темпераментная. Филонов помнил, как сверкали ее зеленые глазищи, когда она гневалась. Такой дай в руки пистолет, она всех перестреляет.

Так, так, так...

Чего это он так подумал, а? Зачем он так о ней подумал?

— А зачем ей этих Лопушиных-то стрелять? — продолжил он размышлять уже вслух, отвлекшись и пропустив тот момент, когда сильные пальцы Анны Львовны добрались до его шеи и принялись методично поглаживать его ключицу. — А деда? Дед-то ей родной что сделал?

— Может, в наследство не терпелось вступить? А дед все живет и живет и окочуриваться не спешит. А ей деньги нужны. Не просто же так промышленным шпионажем занялась, деньги нужны ей сто процентов! — предположила Анна Львовна странным гортанным голосом.

Кажется, Женечка даже не заметил, как она расстегнула на его пижамке сразу три пуговички. Кажется, даже не ощущал, как она нежно трогает его упругие курчавые волоски на груди.

— А дед все живет и живет. А большая квартира не продается. Район престижный, квартира большая. Сами знаете, Евгений Леонидович, сколько эта хата может стоить. Господи, какой же вы... — прошептала она, наклоняясь над ним так низко, что сдавила ему дыхание своей тяжелой грудью. — Как же я вас хочу, Евгений Леонидович!..

— Анна Львовна, ну Анна Львовна, ну что вы делаете? — захныкал Филонов, безуспешно пытаясь поймать ее руки, стягивающие резинку его штанов, и удержать голову, сползавшую все ниже и ниже. — Ну, Анна Львовна! Ну что вы... Черт побери! Ну что вы творите в самом деле...

Если бы мать через пару минут вознамерилась вернуться в его палату, она была бы довольна его конфузом. Филонов, невзирая на возраст и статус, как он любил подчеркивать, конечно бы, сконфузился, а как же! Растрепанная голова Анны Львовны методично двигалась внизу его живота. А сам он, высоко запрокинув над головой руки, слабо постанывал.

Слава богу, мать не вошла. И никто не вошел, пока бухгалтерша так непотребно наглела. Сплюнув потом в один из цветочных горшков и вытерев рот полой белоснежной накидки, Анна Львовна кратко поведала о делах конторских, пообещала, что, если что-то будет не так, она непременно ему сообщит, и минут через пять, промурлыкав «до скорого, малыш», исчезла за дверью.

Филонов натянул штаны до пояса, встал с кровати и осторожной поступью двинулся в угол к раковине. Там он долго и тщательно мыл руки, чистил зубы и с раздражением рассматривал в мутном от времени зеркале свою бледную физиономию.

Нет, он раздражался совсем не по поводу своей слабости, проявленной под напором инициативной бухгалтерши. Он раздражался тому, что не сумел додуматься до того, до чего додумалась Анна Львовна. И на что так недвусмысленно намекал Степа Мазила. Он вытерся казенным полотенцем, мать не додумалась принести ему свое вместе с пижамой. Вернулся на кровать и тут же принялся искать в тумбочке свой телефон. Он нашелся между упаковкой печенья и пачкой бумажных носовых платков. Мать притащила. Нашла сопливого, подумал Женька со злостью. Лучше бы полотенце нормальное принесла.

Степка Мазила долго не отвечал на его звонок. Наконец в трубке раздался его странный глухой голос.

— Чего тебе, Филон? Чего тебе не спится-то? — забубнил он, забубнил с тяжелым вздохом.

— Не особо поспишь-то на больничной койке, — жалобно отозвался Филонов: ему можно себя пожалеть или нет, в конце концов. — Кто-то на курортах лялечек пялит, а кто-то едва не сдох.

— Да ладно! — Голос Мазилы стал оживленнее: — Что случилось, брат? Авария?

— Если бы. Траванулся после той нашей вечеринки так, что чуть ласты не склеил. Даже было подумал на тебя. Подумал, что ты меня решил того, убрать под шумок, пока тут у нас стреляют. Меня в ящик — сам на курорт. А че, чем не вариант, а, Степа? Что скажешь?

— Придурок, — еле выдавил Степа и уже, не стесняясь, принялся оглушительно ржать. — Че, в натуре, траванулся, Филон? Прямо с унитаза не слезамши?! Офигеть! Так сдохнуть западло, Филон! Чес слово, западло!

— Заткнись, придурок, — беззлобно огрызнулся Филонов, тут же мысленно послав дружку тех же мучений. — Не было унитаза, чтобы ты знал. Острый живот был, как лают доктора. Как отдыхается, придурок?

— Нормально отдыхается, Женек. Отдыхать — не пахать, сам знаешь, — оборвал свой смех Мазила. Тут же голос его стал вкрадчивым и хитрым: — А ты чего звонишь-то? Пожаловаться или спросить чего?

Конечно, спросить! Жаловаться такому придурку — себе дороже. Потом замучает подколами. Только вот спрашивать надо было аккуратно. Степа, он же той еще был сволочью. Не так вопрос поставишь — не ответит ни черта.

— Да так... Хотел сказать тебе, что я тоже догадался.

— О чем? — Мазила сразу насторожился.

— О том, кто вальнул семейку и старика.

— А-а, догадался, стало быть. Гм...

Мазила не поверил. Он всегда считал Женю туповатым маменькиным сынком. И не раз вытаскивал того из дерьма ценой собственной свободы. Жалел.

— И об чем же ты догадался, Женечка? — в точности передразнил интонации филоновской матери Степка.

— Догадался, кто стрелок.

— Да ладно! — присвистнул Мазила и повторил с недоверием: — Да ладно...

— Да-да, догадался, Степа. Можешь не сомневаться.

— Кто же это?

— А ты первый скажи!

— Ага, щас! — Степка присвистнул и снова заржал: — Нашел лоха! Сам говори, раз догадливый ты у нас такой. Ну, Женечка? Говори, кто стрелок?

— Баба! — буркнул Филонов. — Стрелок — баба! Так ведь, Степа?

Мазила молчал непозволительно долго. Филонов даже заподозрил дружка по его сдавленному дыханию в том же самом грехе, в котором погряз сам минут пятнадцать назад. Но нет, отозвался с ворчливым неудовольствием:

— Ты гляди, Филон, растешь. Диарея мозги прочистила? — Он погано хихикнул. — Только что за баба, ни за что не догадаешься! А я тебе не скажу.

— И не надо. Я знаю, кто это, — тоже хихикнул Филонов и, спохватившись, добавил: — Диареи у меня не было, скотина...

ГЛАВА 14

Данилов с сожалением посмотрел на промокшую упаковку с очередным горячим бутербродом. Жареный цыпленок, подтаявший кусочек сыра, маринованный огурчик между двумя кусками хлеба. Пахло восхитительно, бутерброд был еще горячим, не успев остыть. Кажется, это уже было, так ведь? Он захватил горячий бутерброд по дороге на работу в надежде спокойно позавтракать. Его тут же вызвало начальство, он убрал бутерброд в стол, потом забыл, а на другой день благополучно выбросил, так как цыпленок завонял.

Снова позволить случиться такому, нет?

— Черта с два! — рыкнул Данилов, решительно вспарывая бумажную упаковку и захватывая бутерброд двумя руками сразу. — И пусть весь мир подождет...

Представителем от всего мира в настоящий момент был Заломов Василий Васильевич, встретивший его спозаранку у дверей кабинета с маетным потным лицом.

— У меня срочно! — молитвенно сложил главный бухгалтер обе руки на груди, упакованной в твидовый пиджак, так нелепо смотревшийся со светлыми легкими брюками. — Дело не терпит отлагательств!

— Хорошо, я вас вызову, — отозвался Данилов, помня о бутерброде в пакете, зажатом под мышкой.

Три минуты ему хватило на размышление, и он впился зубами в бутерброд. Если он не позавтракает сейчас, то потом он и не пообедает, а ужинать придется вчерашними пельменями, застывшими в тарелке в холодильнике, только лишь потому, что он засыпал на ходу с вилкой в руках.

Но Заломов был настырным мужиком, либо важная новость его душила и заставляла не проявлять уважение к представителю власти. Именно так подумал о нем Данилов, когда Василий Васильевич, для порядка разок стукнув в дверь, широко ее распахнул и шагнул за порог его кабинета со словами извинения.

— Ну, входите, чего уж теперь? — возмутился Данилов с набитым ртом. Сел на место и принялся ворчать, не забывая пережевывать: — Вот жизнь, а! Даже позавтракать по-человечески не дадут!

Заломов на него неодобрительно покосился, осторожно присев на краешек стула у стены, почти у выхода.

Он, между прочим, не только не завтракал, он и про ужин забыл, выполняя, между прочим, работу этого мускулистого красавчика, когда выслеживал возможного отравителя Сонечки и Савельева. Ладно, подождет, он не гордый. Пускай дожевывает свой ужасно пахнущий бутерброд.

Как молодые люди неразумно растрачивают здоровье, с печалью вдруг подумал Заломов. Разве можно кушать то, что ест теперь молодой подполковник? А как же стакан сока с утра, улучшающий пищеварение? А как же тарелка овсянки, нежно ласкающая стенки желудка? Ужасно относится к своему здоровью молодежь. Непозволительно его транжирит. Кажется, что-то подобное он сказал вчера Лилечке, завалившейся к нему в хлам пьяной ближе к полуночи.

— Я не могу без тебя! — ныла она, повиснув на шее Заломова. — Прости меня! Пусти меня!

Заломов все время держал ее на расстоянии вытянутой руки и дотошно рассматривал.

За те несколько дней, что Лилечка прожила без него, она как будто подурнела. Не было в ней того лоска, который он тщательно на нее наносил посредством своего щедрого содержания. Прически не было, макияж расплылся. Ах да, она же плакала, старательно выбивая из него жалость.

Но он ее не пожалел. У него была превосходная память, которая услужливо подсовывала ему сцены их последнего прощания, где он был «вонючим гадким стариком», с которым она жила только из-за денег, и что, если нужно, она завтра найдет себе целый строй таких беззубых старцев, мечтающих ее содержать.

Строй, видимо, смешался и исчез, раз Лилечка притащилась к нему так поздно.

— Ты простишь меня, Васечка?! — размазывала по лицу косметику пьяная Лилечка. — Прости меня! Я дрянь! Я неблагодарная дрянь!

Вот тут он не мог с ней не согласиться. И в благодарность за то, что она наконец прозрела, пригласил ее в кухню выпить кофе.

— Только кофе! — предупредительно вскинул вверх указательный палец Заломов, заметив облегчение в заплаканных мутных глазах вероломной супруги. — И я вызываю тебе такси.

Если честно, ему очень хотелось оставить ее на ночь. Заломову было очень одиноко в громадной кровати, купленной специально для них двоих. Он подолгу ворочался без сна, обнимая ее подушку. Но девчонка оскорбила его, и он ее не простит. Ни за что!

Лилечка сняла с ног грязные туфли. Тут же стащила рваные колготки и юбку с выпачканным то ли грязью, то ли блевотиной подолом. Осталась в длинной лохматой тунике и с голыми ногами, без конца их демонстрируя бедному Заломову. Но он выдержал испытание, не клюнул на ее увертки. Сварил крепкий кофе. Выдавил в ее чашку дольку лимона.

— Пей, — приказал он и запахнулся в домашний теплый халат, в который нарочно кутался, чтобы, не дай бог, не коснуться ее голой частью тела.

Лилечка медленно тянула кофе, жмурилась от удовольствия и без конца молила о прощении.

— Ты знаешь, Васечка, — ее пухлые губы предательски задрожали, — после того, что я тебе тут наговорила, меня надо просто бросить в прорубь!

— Река еще не покрылась льдом, — хмыкнул Заломов.

— Тогда под поезд. — На ее длинных ресницах повисли крупные капли слез. — Я дура! Такая дура! Понимаешь, я только вчера поняла, что... что мне не нужны твои деньги, — сказала она не совсем уверенно. — Мне нужен только ты!

— И ты готова сидеть дома, не посещать косметологов, массажистов, не сорить деньгами? Не скупать коллекциями тряпки? Ты готова на такие жертвы? — усомнился Заломов.

И по тому, как Лилечка двинула носиком, понял, что на подобные жертвы его молодая безмозглая жена не готова. И не готова будет никогда.

Потом он сварил ей еще кофе, разогрел в микроволновке рыбу с картошкой, оставшуюся от ужина, слушал ее восторженный лепет, удивлялся непосредственности и беспринципности. А потом вдруг спросил:

— Лиля, ты помнишь, мы с тобой как-то ходили в казино на улице Никитина?

— Ну да, ходили. Я там часто бываю, — брякнула она и тут же прикусила язык. — То есть я хотела сказать, что забегаю туда с подругой. У нее там парень работает. Ты же знаешь и...

— Неважно, — перебил ее Заломов, обнаружив для себя еще один канал, через который утекали его деньги. — Хотел спросить тебя об одном посетителе. Думаю, он там постоянный клиент.

— Кто? — обрадовалась Лялечка тому, что о ней и ее ставках разговора не будет, а ей ведь в последнее время так не везло за карточным столом, так не везло!

— Молодой парень. Ему на вид тридцать лет, высокий, голубоглазый, работает юристом на нашей фирме. Зовут Александром, фамилия Горячев. А? Что скажешь?

Мысли Лилечки заметались. Почему он спрашивает об этом юристе?! Она знает его, конечно, знает. И не просто хорошо, а очень, очень, очень хорошо. Вчера ночью они ушли из казино вместе. Потом долго сидели в его машине и целовались до боли в губах. Но Лилечка ничего такого ему не позволила. Не потому, что не хотела, а потому, что решила этого шустрого парня помурыжить. Пускай не думает, что она дешевка какая-нибудь.

Неужели этот Горячев ее узнал?! Неужели понял, что она жена Заломова? Подошел к ней не просто так, а с умыслом, заманил в машину и... и потом обо всем доложил Васечке?!

Господи! Нет! Если Васечка узнает, что она позволила залезть этому Горячеву в лифчик, он тогда уже точно ее назад не примет. А ей очень, очень, очень хотелось обратно. Она только когда лишилась всех удобств заломовской жены, поняла, чего лишилась.

Так что делать-то? Лилечка отчаянно хмурила бровки, беззвучно проговаривала на все лады имя Горячева, будто пыталась вспомнить. Мысли лихорадочно метались.

Не сказать было тоже нельзя. Вдруг этот Горячев уже обо всем доложил Васечке?! А муж теперь просто сидит и потешается над ней. И ждет, что она скажет. Проверяет тем самым.

— Кажется, знаю, — решилась она наконец. — Такой приторный, да?

— Не пробовал, не знаю, — ухмыльнулся Заломов, догадавшись, что под ее долгим раздумьем кроется какой-то подвох.

— Ну, я его знаю, видела там не раз. А в чем, собственно, дело?

Лилечка сразу приняла оборонительную стойку, сунув руки под мышки. Уперла Заломову тупой взгляд в его лобастую голову.

Пусть только попробует предъявить ей обвинение в супружеской неверности. Пусть только попробует!

Во-первых, у них с этим Горячевым не было ничего такого. Во-вторых, Васечка, если не забыл, ее сам выгнал. Она взрослая и одинокая девочка и может делать что угодно, вот!

— Вот скажи мне: он играет?

— Ну да, играет.

— По-крупному или так?

Лилечка ощутила что-то вроде укола ревности. Не интересовала Васечку она, совсем не интересовала. Что-то с юристом, похоже, у них не сложилось. Какая-то черная кошка между ними пробежала. Неспроста тот вчера пытался ей в трусики залезть. Тоже наверняка из соображений мести. А этот сейчас пытается черные пятна на красивом челе юриста обнаружить.

Э-эх, мужики, мужики...

Лилечка тяжело вздохнула и решила, что скажет своему мужу, может, теперь уже и бывшему, всю правду. Может, в награду за это он оставит ее здесь ночевать? Ей ведь совсем-совсем некуда идти.

— Он игрок, Васечка. И еще какой! Ставки делает крутые.

— Выигрывает или как? По-крупному выигрывает? — Заломов заметно оживился.

— Ты что, казино не знаешь? — фыркнула Лилечка насмешливо. — Кто же ему позволит выиграть по-крупному, Васечка? Вот проиграть, это да. Это всегда пожалуйста!

— Он проигрывал? По-крупному, я имею в виду?! — У Заломова аж голос сел, когда он нащупал жилу.

— Да, проигрывал. Точно знаю, потому что дружок моей подруги его однажды даже к столу не подпустил.

— Почему?

— Долги на нем висели вроде, и крутые долги. Потом он с каким-то мужиком начал общаться, этот ваш юрист. Такой высокий, черный, на нерусского похож. И дела у Горячева вроде потом пошли в гору. В общем, к столу его дружок моей подруги начал допускать, и тот вроде начал выигрывать.

— Что, и вчера выиграл? — вкрадчиво поинтересовался Заломов.

Ему вдруг стало интересно, не про Горячева узнать, нет. Про эту безмозглую дурочку. Где же она провела вчерашний вечер? А сегодняшний? Откуда к нему притащилась в хлам пьяная, в драных колготках и облеванной юбке?

— Вчера выиграл, сегодня ему не фартило. Он злился и все ставил и ставил. Потом его мужик этот черноволосый увел, — брякнула Лилечка и тут же испуганно прикрыла рот ладошкой: — Ой... Ой... Я просто. Я не то хотела сказать. Васечка, ну чего ты так смотришь? Я-то не играю! Мне не на что! Просто с подругой заходим ее дружка проведать. Она его заодно и контролирует. Там знаешь какие дамы ходят! Она ревнует его вот и...

Лилечка разревелась, дуреха, плакала долго и искренне. И Заломов ее пожалел, оставил ночевать. Правда, велел ей устраиваться в другой комнате, а перед этим велел как следует вымыться. Решив, что, если он вдруг чего такого захочет, она должна быть чистенькой и вкусно пахнуть.

Лилечка послушно плескалась в ванной почти час. Потом закуталась в свой нежно-сиреневый махровый халатик, прилегла на застеленный Заломовым диван в соседней со спальней комнате и сразу вырубилась. Сколько он ни ждал ее, она так и не пришла. Утром он Лилю разбудил, заставил собраться и выставил вон.

— А можно мне подождать тебя до вечера тут? — ныла Лилечка.

Заломов не позволил.

— А можно я тебя вечером с работы встречу? — просила она, преданно заглядывая ему в глаза.

Он снова не разрешил. Многим уже было известно, что он выставил молодую жену. И не потому, что он разболтал, а потому, что дуреха уже по городу нарисовалась.

Заломов выставил ее, не подвез. Сел в машину и поехал в отделение полиции, где прождал необязательного подполковника непозволительно долго. А теперь он еще и завтракать при Заломове собрался! Вот народец! Кто ему только звание такое дал? Будь Заломова воля, ходил бы тот до сих пор у него в сержантах.

Данилов кое-как дожевал бутерброд, запил его водой прямо из графина. Кофе заваривать не стал. Мужик и так раздражен безмерно. Смахнул со стола и с себя крошки, взглянул на Заломова:

— Итак, я вас слушаю, Василий Васильевич, если не ошибаюсь?

— Не ошибаетесь, — смягчился сразу Заломов оттого, что подполковник запомнил его имя-отчество.

— Вы сказали, у вас срочное дело? Я вас слушаю, — поторопил его Данилов, потому что сердитый главный бухгалтер вдруг взял долгую паузу, рассматривая занимающийся ненастьем день за окном.

— Я знаю, кто отравил Соню и Генку Савельева, — обронил Заломов и, видя недоверие в глазах следователя, добавил: — Могу обосновать.

— Кто же это?

Данилов опустил глаза. Несколько дней назад на роль подозреваемого прочили самого Заломова. Причем обвинение тоже пытались обосновать... только словами. Мотива вот только не было названо. Кто пытался обвинить? Так Соседова Алла Юрьевна, директриса, чудом оставшаяся в живых.

— Он это, Сергей Игнатьевич! — верещала Соседова по телефону, тяжело и прерывисто дыша. — Больше некому! Подумайте сами... У него есть мотив.

— И какой же? — Данилов поначалу заинтересовался.

— Молодая жена, — с ненавистью выпалила Соседова.

— И что? — перебил ее Данилов.

— Она сосет с него деньги. Они ему катастрофически нужны, просто катастрофически! Я тут узнавала по своим каналам, девка эта — дрянь! Транжира! Василий просто задыхается! Он, только он мог сойтись с нашими конкурентами и продавать наши секреты. — Но тут Соседова все испортила: — Ему даже информацию скачивать не надо, она у него в голове! Он же главный бухгалтер!

— Тогда зачем ему было красть диск, Алла Юрьевна?

— Что?! Какой диск?!

— Тот, который нашелся потом в сумочке Воронцовой? — напомнил Данилов. — Вы же сами говорили, что на этом диске важная информация, касающаяся ваших сделок, всех ваших финансовых потоков и прочего. У него все это в голове! Зачем ему диск?!

— Ну... ну тогда кому-то еще он понадобился, — быстро нашлась она. — Заломов сам по себе. А тот, кто стащил диск, сам по себе. И его еще надо вычислять. Но то, что Заломов — отравитель, не сомневайтесь!

Теперь Заломов сидел напротив Данилова и со скорбной рожей утверждал, что уже он вычислил отравителя и даже может это обосновать.

Понеслось, что называется?

— Итак, кто же это? — без особого интереса спросил Данилов.

У него, если честно, была своя версия, почти недоказательная, почти безумная, но была. И о ней пока не знал никто, кроме него. Пока его парни работали, проверяя весь списочный состав, присутствующий в тот вечер на совещании, Данилов свои догадки мусолил про себя на все лады. Ребята допрашивали, наводили справки, копались в прошлом сотрудников, ходили по аптекам, докладывали ему ежедневно о результатах. Результатов почти не было. Подозревать можно было всех и почти никого.

— Это Горячев, мерзавец! — сморщил брезгливо плохо выбритое лицо Заломов.

Он теперь почти всегда плохо выбривался. Очень боялся порезаться и истечь кровью, очень боялся за свою жизнь.

— Горячев? Александр?

Данилов даже не удивился. Кого же еще мог назвать Заломов, как не Горячева? Их там, оставшихся после совещания в кабинете Соседовой Аллы Юрьевны, можно было по пальцам одной руки пересчитать. Горячев, Заломов, Савельев и Соседова.

Соседова сама себя травить не станет. Савельев мертв. Заломов сидит перед ним. Кто остается? Правильно, Горячев!

— Да, это он, мерзавец! Он шпионит на конкурентов. Он!

— Почему?

— Из-за денег, разумеется! — Заломов глянул на Данилова, как на дурака, его Лилечка и то сообразительнее. — Ему нужны деньги!

— Они всем нужны, если я не ошибаюсь.

— Но ему не такие деньги нужны, какие нам с вами, — криво ухмыльнулся Василий Васильевич, закидывая нога на ногу.

Тонкая штанина задралась, обнажая совершенно не подобающие цвету носки с растянутой резинкой. Не очень-то следит за ним молодая жена, с неожиданной жалостью подумал Данилов. Хотя он, по утверждениям Соседовой, мог пойти на преступление из-за ее неуемных аппетитов

— Ему нужны большие деньги! Очень большие деньги!

— Зачем? — спросил Данилов.

А про себя подумал, что молодой жены у Горячева нет и пока не предвидится. Воронцова ему отказала и кольца не приняла. Зачем же ему тогда деньги?

— Он игрок! — выпалил Заломов и победнел. — Он играет в казино по-крупному! Я это точно знаю!

— Ух ты! — Данилов недоверчиво покачал головой. — Но казино у нас в стране запрещены законом.

— Я вас умоляю! — Василий Васильевич снисходительно улыбнулся и ногу с колена сбросил, заметив свой сморщенный носок с растянутой резинкой. — Знаю минимум три точки в городе. Подпольных, конечно, но... Горячев играет и делает долги. Не так давно его даже к карточному столу не подпускали! Но потом он неожиданно карточный долг погасил.

— И снова продолжает играть?

— Совершенно верно.

— Та-ак... А вы полагаете, что долг ему удалось погасить, продавая секреты вашей фирмы конкурентам?

«Начинаете исправляться!» — прочел Данилов в обращенном на него взгляде Заломова.

— Ну, с этим понятно, — проговорил Данилов. Про себя подумал, что шпионские игры между фирмачами его совершенно не интересуют. У них свои службы безопасности, пусть работают. Деньги получают наверняка немалые. Отравление-то тут при чем?

— Зачем Горячеву подсыпать яд в кофейник Соседовой?

— Да потому что она интриговала нас все совещание! Тыкала пальцем в чертову папку и говорила, что там у нее точная информация на шпиона! Он перепугался и...

— А яд он всегда носит с собой в кармане? — перебил его с усмешкой Данилов и с силой потер лицо ладонями. Дико хотелось кофе. — Так, что ли?

— Может, и носит! — возмутился Василий Васильевич. — А может, узнав о повестке заранее, решил взять с собой и подстраховаться. У него куча мотивов была! Куча! Деньги — раз, страх перед разоблачением — два, и месть.

— А мстить-то он кому был должен и за что? — не понял Данилов.

— Соседовой за свою девушку! — выпалил Заломов. — Он же знал, что она не виновата и...

— Не выходит, — перебил его Сергей. — Если он так любил Воронцову, зачем подбросил диск ей в сумочку?

— Что? Диск? Какой диск?

— Тот самый, который был найден в ее сумочке при обыске. Получается, он его сам ей и подбросил? Зачем же ему тогда мстить?

Василий Васильевич недоуменно заморгал и вдруг умолк. Он так глубоко задумался, прикрыв веками глаза, что Данилов было подумал, что тот задремал, устав в силу возраста от напряженного разговора.

— Я понял! — воскликнул он, встрепенувшись, через пять минут.

Уже и чайник вскипел, и кофе был налит в чашку Сергеем. И он даже успел отхлебнуть пару глотков, когда затихший главный бухгалтер, явившийся обвинять юриста их фирмы, вдруг ожил.

— Я понял! — повторил он и глянул на Данилова с печалью: — Воронцовой никто диск не подбрасывал.

— То есть? — Сергей замер с кружкой у рта.

— Она его в своей сумочке сама спрятала.

— Получается, она его и украла?

— Нет, украсть его мог Горячев, передал ей. Она спрятала. Они... они — соучастники, подполковник. И, думаю, поэтому и дед ее погиб.

— Почему поэтому?

— Деньги! Нужны были деньги! Горячев игрок, Воронцова — его девушка. Она любит его и готова помогать во всем. Эта сладкая парочка вступает в преступный сговор. Так, кажется, у вас это формулируется? — Не дождавшись ответа от отвернувшегося от него к окну Данилова, Заломов продолжил: — Сначала они пытаются выкрасть информацию. Когда это не выходит и они попадают под подозрение, Горячев пытается отравить Соседову. Снова не выходит. Соседова насторожилась. Меры предосторожности и секретности сейчас предприняты на фирме беспрецедентные. А деньги-то нужны! Где их взять?

— Ну не у пенсионера же! — взорвался Данилов, прекрасно поняв, куда клонит главбух. — Откуда у него-то деньги?

— О, вы забываете, что у него есть квартира, которую можно продать...

— Лишь через полгода минимум! Процедура вступления в наследство занимает время!

— Да, но это лучше, чем ничего. Не забывайте, Горячев игрок! И играет по-крупному. Ему всегда нужны деньги. Большие деньги! В таких случаях любые средства хороши. От шпионажа до убийства не так уж далеко! И если он уже однажды решился на подобный шаг, подсыпав яд в кофе человеку, который будто бы собрал на него компромат...

— Да, но Соседова-то его не подозревала, если что, — ядовито улыбнулся Данилов.

У него просто легкие свело, и дышать стало невозможно, так его поразили слова Заломова. Он лично ни разу, ни единой мысли не допускал о виновности Саши Воронцовой.

Она не могла! Она не такая! Она выгнала Горячева! Уличила его во лжи и выгнала! Но...

Но диск был найден у нее в сумочке при обыске. Как он там оказался?! Его ей подбросил Горячев, если он шпионил, или передал его ей?! Если подбросил, то что делать с его предложением руки и сердца?! Как он мог подставить свою любимую девушку, а потом лежать с ней в постели и ронять кофейные капли на пододеяльник!

Еще одна чертовщина отравляла Данилову жизнь. Возможности замесить смертоносную смесь не было ни у одного из сотрудников фирмы, кроме нее. Она одна была химиком по образованию. Она... одна...

— Соседова не подозревала Горячева. Никогда. Она подозревала вас, — процедил сквозь зубы Сергей, желая досадить главбуху, тот его просто без ножа резал своими аргументами.

— Но он-то об этом не знал, — совершенно спокойно отреагировал Василий Васильевич и подергал плечами в твидовом пиджаке, так не сочетающимся с его легкими светлыми брюками. — Он был уверен, что на подозрении у Аллы. Преступник ведь всегда боится быть уличенным, разве не так? Вот он и решается на кардинальные меры. Сыплет яд в кофейник Аллы. А может, ему даже такое задание было кем-то дано.

— Кем же?

— Заказчиком. — Заломов неприязненно глянул на чашку в руках Сергея.— Если вы предложите мне кофе, товарищ подполковник, я не откажусь. В конце концов, я подбросил вам единственно стоящую версию. И единственно объясняющую, с чего это вокруг нашей святоши столько всего произошло за последнее время!

— Вы имеет в виду Воронцову?

Данилов нехотя прошел в угол, где на тумбочке стояли чайник, свободная чашка, принадлежавшая Мишину Игорьку, сахарница и банка с кофе.

— Совершенно верно. Ее, голубушку, я имею в виду. И настаиваю, что она не могла не знать о выкрутасах своего возлюбленного. Они на пару работали, поверьте мне. И всю эту стрельбу устроили тоже они.

— Это серьезное обвинение.

Сергей обернулся с чашкой, в которой плескался кипяток. Видит бог, великих сил ему стоило не плеснуть его в постную бледную физиономию главбуха. Чтобы тот заткнулся наконец и прекратил говорить страшные вещи, не лишенные тем не менее логики.

— Я понимаю. — Заломов принял чашку с жиденьким кофе из рук подполковника, благодарственно кивнул. — Но это все объясняет.

— Это обвинение ведь может быть и клеветой, — предостерег его Данилов, усаживаясь на место.

— А вот это вряд ли, — снисходительно улыбнулся Заломов.

Он подержал в руке чайную ложечку, посмотрел вокруг, куда бы ее положить, постеснялся опустить ее на полированную тумбочку и со вздохом вернул обратно в чашку.

— Вряд ли мои слова окажутся клеветой, подполковник. — прищурив один глаз, в который почти упиралась торчавшая из чашки ложка, Заломов шумно отхлебнул. — Просто вам надо все хорошо обдумать, опросить свидетелей.

— Спасибо, что учите нас работать! — со злостью фыркнул Сергей, приложив руку к груди и раскланиваясь в разные стороны. — Мы же не опрашивали никого! Не входила в день убийства в подъезд к своему деду Воронцова! Не была она там. Весь день просидела дома! Ее из квартиры потом на место преступления знакомый привел. Хозяин магазинчика, что напротив ее подъезда. У Воронцовой алиби на момент убийства, — скрипнул зубами Сергей, проклиная себя за то, что вынужден говорить об этом вслух. Об этом даже думать было кощунственно. — И у нее, простите, алиби на момент отравления ваших сотрудников.

— Да помилуйте, Сергей Игнатьевич, — вдруг вспомнил его имя-отчество Заломов. — Я не говорю, что она сделала это! Я говорю, что она не могла не знать! И вам ведь должно быть уже известно, что из всей нашей конторы у Воронцовой единственной у кого химическое образование. Я тут побывал в Интернете, почитал. Знаете, смешать отраву не так уж сложно. Важно знать пропорции. Ну и, разумеется, то, что с чем мешать. Воронцова спокойно могла приготовить яд. И могла не воспротивиться тому, что ее возлюбленный пристрелит старика, который зажился на этом свете. И, конечно, могла спрятать диск в своей сумочке, чтобы отвести от возлюбленного-вора подозрения. Кто же знал тогда, что будут рыться даже в личных вещах?..

Эта старая сволочь отравила Данилову весь день. Заломов явился сюда с обвинениями в адрес Горячева. И так это умело своим мерзким языком замарал и Сашу, что не появиться сомнениям было сложно.

Сергей выпроводил Заломова и позвонил Игорю Мишину, которого еще с вечера озадачил, велев поутру отправляться в Заславский район. Там раньше проживали и работали в одной из клиник супруги Лопушины. Правда, людская молва утверждала, что прежде они были Верещагиными. Вот пускай Мишин и проверяет, под какой фамилией они жили в том районе и под какой трудились в клинике.

Правда, теперь может оказаться так, что копаться в их прошлом и нужды уже нет. Если, не дай бог, Заломов окажется прав...

— Да, Сергей Игнатьевич, — отозвался Игорек сразу, будто ждал звонка начальника.

— Ты на адресе?

— Я там уже побывал, — вздохнул Игорек.

Ясно — пустышка. Но все равно спросил:

— И что там?

— Те, кто купили у Лопушиных квартиру, уже уехали. Те, кто перекупили, их совсем не знают.

— Ты по соседям, по соседям пройдись.

— Пройдусь, — пообещал Игорек без особого энтузиазма.

Поквартирный обход он ненавидел. Он лучше будет сидеть и в бумагах копаться, сопоставлять показания из протоколов, чирикать карандашиком разные схемки, перечеркивать их, рассуждать вслух и доводить Данилова до бешенства.

Сергей, напротив, считал, что ничего нет ценнее личного контакта. И тут же решил, что, если Игорек явится ни с чем, он сам отправится в Заславский район и пропесочит всех соседей. Узнает все или почти все о прошлом Лопушиных. Он же должен точно знать, есть у них враги или нет? А до тех пор он не станет рассматривать Сашу Воронцову как злодейку. Не станет! Пусть катится ко всем чертям этот зализанный Заломов, явившийся сюда только с одной целью — очистить свой зад!

— Короче, идешь по соседям, собираешь информацию. — строго, почти грубо, приказал он Мишину. — Потом едешь в клинику, находишь самых старых сотрудников. На молодежь можешь время не расходовать, — предостерег он, заранее зная, как любит Мишин молоденьких хорошеньких сестричек милосердия. — Находишь сотрудников с солидным стажем и допрашиваешь их.

— Допрашиваю? — изумился Игорек.

— Да, Игорек, да, допрашиваешь! Не просто просишь их вспомнить, а заставляешь, твою мать, сотрудничать со следствием! Все понял?!

— Так точно, — перепуганным голосом ответил Мишин. — Разрешите приступить?

— Валяй...

Данилов отключил телефон, приложил его ребром к щеке и задумался.

Если окажется, что в прошлом Лопушиных нет ни единого темного пятнышка либо тени этого пятнышка, тогда жесть! Тогда придется разрабатывать Горячева. А с ним за компанию автоматом идет и его девушка Саша.

Это плохо!

Внутренний телефон слабо крякнул раз-другой и тут же зазвонил. Кто-то из своих, понял Данилов, снимая трубку. Тут же мысленно взмолился: лишь бы не генерал. Хоть бы ему не было до него дела, хоть бы его вызвали куда-нибудь. Или тот увлекся разговором со своей женой, которую, по слухам, просто обожал.

Сейчас начнет приставать, трясти с него версии, информацию. А он что скажет? Что к нему только что приходил ценный свидетель и предложил проверить Александра Горячева и его девушку на предмет их преступного сговора? И этот умник — Заломов Василий Васильевич — считает, что все три преступления: кража коммерческих тайн, отравление, тройное убийство — это их рук дело? Что нечего огород городить Данилову и искать бандитский след в случившейся стрельбе. Все достаточно прозаично. Этой сладкой парочке нужны деньги. Много денег! Они сначала крадут информацию, продавая ее конкурентам, потом пытаются отравить директора фирмы, вышедшей на след Горячева. А когда это не удается и красть тайны стало совершенно невозможно, а стало быть, нет и приличного заработка, они решаются на более тяжкое преступление. Они совершают убийство Лопушиных, инсценируют самоубийство Воронцова с одной-единственной целью — завладеть недвижимостью старика, который зажился на этом свете.

Об этом он должен будет доложить генералу, так, что ли?!

— Подполковник Данилов, — отрапортовал он в трубку внутреннего телефона.

— Чего это ты, Серега, так строго? — хихикнул Володя Хромов, который два последних дня занимался его записями с камер наружного наблюдения ломовского магазина. Был он в звании полковника и давно уже вышел на пенсию, но продолжал работать. — Серчаешь?

— Осерчаешь тут, — вздохнул Сергей, заглянул в пустую кружку из-под кофе — срочно требовалась добавка. — Ну? Что там у тебя?

— У меня полный порядок. Можешь приходить и забирать. Я тебе на два диска все сбросил, информация весит много. По три дня на каждом, устроит?

— Спрашиваешь!

Данилов сорвался с места и уже через десять минут вставлял в компьютер первый диск. Это были те самые три дня, два из которых предшествовали преступлению, ну а третий соответственно тот самый страшный день. Все просмотрел, вставил второй диск, то есть первым он был календарно, просмотрел, снова вернулся к тому, что смотрел сначала. Потом опять второй.

Чуть с ума не сошел, рассматривая чужие ноги, головы, спины и машины. Чуть с ума не сошел, обнаружив там человека, которого совершенно не желал там обнаружить.

— Володь, а ты можешь мне фотографий наделать с некоторых кадров? — позвонил он уже после обеда, даже не заметив, как время пролетело.

— Не вопрос, заходи. Кстати, Сереж, а ты обедал?

— Нет, — вспомнил Данилов, и желудок тут же подтвердил это жалобным бульканьем.

— И я нет. Может, чего-нибудь сообразишь, пока я тебе печатать буду?

— Сэндвич с курицей подойдет?

— Лучше колбаски и просто хлебушка, — закапризничал Володя. — Не люблю я всякие салатные лохмотья в хлебе, огурцы, лук. Лучше, Сереж, просто хлебушка и колбаски, лучше чайной. Я тебе денежку дам.

Данилов сходил в соседний гастроном за чайной колбасой. Еще купил хлеба, минералки, четыре яблока и два заварных пирожных.

— О-о, да мы попируем. А я уже начал, — похвалился Володя, ткнув пальцем в громадный принтер, распечатывающий фотографии. — Чайник включи, Сереж.

Они заварили чая, нарезали колбасы, хлеба. Чокнулись минералкой, чтобы их многострадальные желудки без вопросов приняли сухомятку. Быстро смели и колбасу и хлеб и, пока заваривался чай, захрустели яблоками.

— Что за чел? — взял в руки Володя верхнюю фотографию. — Подозреваемый?

— Еще какой! — вздохнул Данилов. — Надо задерживать.

— Благодаря этому? — ткнул пальцем в фото Володя и следом с довольной улыбкой себе в грудь: — И вот этому?

— Так точно, товарищ полковник. — Данилов хлебнул чая, откусил пирожное. — Такой, скажу я тебе, Володя, гад!

— Что на нем?

— Предварительно: пять трупов и коммерческий шпионаж.

— Ничего себе! — присвистнул Володя, протягивая руку за пирожным. — Пять трупов! Как же так можно-то?! Молодой красивый малый...

Полковник взял второй рукой, не занятой пирожным, снимок в руки. Внимательно осмотрел.

— Перспективный, судя по машине и одежде. Как же так можно разом в убийцу превратиться?! Да еще в такого! Пять трупов! И как он их, Сереж?

— Двоих отравил, троих застрелил. Видишь, в подъезд входит?

— Ну?

— Так вот, предположительно, он в него вошел, пробрался по чердаку в соседний подъезд, выкрал у одного бывшего военного пистолет... Идиот! Мог бы пробраться через последний подъезд. Тот в камеру не попадает. — Данилов замолчал ненадолго, швырнул в упаковку недоеденное пирожное, пробормотал с тоской: — Откуда только он о пистолете узнал, интересно? И где лежит, откуда узнал?

— А военный-то что?

— А военный, вот он, видишь, в этот момент как раз из своего подъезда выходит. Они едва не столкнулись нос к носу.

— И? Что дальше-то? — Володя глянул на даниловское надкусанное пирожное. — Будешь?

— Нет, — сморщился Сергей, — сделалось так горько, что даже сладкий чай с пирожным казались отравой.

— А дальше что? — спросил Володя, набивая рот чужим эклером.

— А дальше... Вот смотри, — Данилов взял в руки второй снимок. — Это уже через день. Как раз тогда, когда произошло убийство. Вот он, наш красавчик, снова заходит в соседний подъезд. И вышел уже много позже того, как прогремели выстрелы.

— А чего он на чердаке, что ли, сидел после того, как людей постrelял? — удивился Володя.

— Не знаю я! — рассердился Данилов. Он еще не успел об этом подумать. — Может, и сидел, а вышел, видишь, когда уже наши подъехали? Все видно замечательно. Дай бог здоровья Вите Ломову.

— Кто это? — Володя с сожалением скомкал пустую упаковку от пирожных, швырнул ее с нитками и шкурками от колбасы в мусорную корзину.

— Это хозяин магазина и хозяин видеокамеры. Если бы не он...

И не Заломов, заставивший поверить в то, что за всеми этими преступлениями стоит один человек, он бы никогда не поверил в это. Он вот лично думал, что все это дело рук разных людей. Один воровал информацию, может, даже и яд подсыпал он же, хотя Данилов еще вчера думал иначе. А вот другой уже стрелял. Только кто это мог быть?

Просмотрев еще несколько раз записи, Данилов сделал вывод — это Горячев. Больше убивать там было некому и не за что. Все люди, входившие или выходившие из подъезда, где было совершено преступление, либо из подъезда вообще не вышли после убийства, либо вышли много раньше. И это были жильцы! Их всех проверили его ребята. Никто не был причастен к кровавой бойне.

Горячев! Это он повинен во всех этих преступлениях. И мотив его очевиден — деньги, жажда денег! Потому что он игрок, а от этого недуга избавиться практически невозможно. Это не лечится.

Данилов поблагодарил Володю, забрал фотографии и пошел к генералу за разрешением на дальнейшие действия. Но как наколдовал: генерала срочно вызвали куда-то, и тот сегодня появиться не обещал.

— Завтра, Сережа, только завтра. А что у тебя? Что-то срочное? — Секретарь взяла в руки мобильник: только она имела право потревожить генерала своим звонком, если дело не терпело отлагательств.

— Ладно, потерпит. — Данилов кивнул и вернулся к себе.

Снова с сожалением заглянул в пустую чашку из-под кофе — требовалась добавка. Чаем он потребность в кофеине не восполнит. И надо ехать на фирму, брать этого Горячева. Разгар рабочего дня, дома он быть не может.

Очень хотелось позвонить Саше, очень! Но она сегодня хоронит деда. Он узнавал — сегодня. Может, следовало сходить, но...

Но какими глазами он станет смотреть на ее горе?! О чем станет думать, подозревая ее жениха в целой серии преступлений? О том, что ей не повезло с выбором? Или о том, что она может быть замешана?

Нет, ну нет же! Она не могла! Ее горе было страшным и искренним. Она не отдала бы на растерзание любимого деда, не отдала бы.

Данилов отдал распоряжение ехать на квартиру Горячева.

— Если он там, задерживайте, зачитав ему его права. Я поеду в офис. Разгар рабочего дня, наверняка он там...

Но Горячева ни в квартире, ни в офисе не оказалось.

— Так он в командировке! — возмущенно отозвалась Соседова, когда Данилов вошел в ее кабинет с вопросом. — А в чем, собственно, дело?!

— Он подозревается в целой серии преступлений, Алла Юрьевна. — сухо ответил Данилов, хотя Соседова после гневного вступления и пыталась сгладить ситуацию, нервно улыбнувшись.

— Саша? Горячев? Преступник? Да бросьте! — Она запрокинула голову и звонко расхохоталась. — Более добродушного и законопослушного сотрудника и человека я не знаю! Постойте, Сергей Игнатьевич...

Соседова вылезла с места и тяжелой поступью дошла до двери. Приоткрыла ее, выглянула, убедилась, что приемная пуста — она так до сих пор и не нашла замену Сонечке, — плотно прикрыла дверь. И повернулась к Данилову со злым прищуром ярко раскрашенных глаз.

— Погодите, дайте угадаю. — Она подошла к Данилову, пахнув на него тяжелым цветочным запахом. — Его кто-то оболгал?! Или подставил? Это ведь так? Его оклеветали?! И я даже знаю кто!

— И кто же? — Ему стало интересно.

— Заломов? Эта старая лысая гадина не может угомониться? Не верьте ему, все ложь! Все от первого до последнего слова — ложь!

В уме этой громоздкой тетке отказать было невозможно. Она сразу вычислила, кто мог настучать на Горячева. Но она не знала и знать не могла, что у Данилова в сейфе хранятся фотоснимки, подтверждающие присутствие Горячева в момент убийства, если и не на самом месте преступления, то неподалеку от него.

— А откуда вы знаете, что мог рассказать мне Заломов? Если он вообще что-то говорил? — заинтересовался Сергей, стараясь дышать не так глубоко: тяжелый запах духов Соседовой сводил его с ума.

— Ой, да бросьте! Он сегодня с утра опоздал на работу.

Соседова, слава богу, вернулась на место, перестав дышать ему в затылок. Нервным движением одернула ярко-канареечного цвета блузку, переложила бумаги на столе, пододвинула клавиатуру компьютера.

— Спрашиваю: чего опоздал, Васильевич? — произнесла она после паузы. — Знаете, что он мне ответил?

— Нет, не знаю.

— Ездил, говорит, восстанавливать справедливость. Значит, был в полиции, — фыркнула Соседова со злостью, тяжело взглянула на подполковника: — Это он-то восстановитель справедливости?! Он! Старый пес! Лучше бы с дрянью своей юной разобрался!

— Насколько мне известно, он ее выгнал, — вспомнил заявление Заломова Данилов. И решил не скромничать и признаться, что Заломов действительно у него был сегодня. — Я даже его не спрашивал, он сам рассказал мне об этом утром. Они расстались.

— Да ладно!

Ее рот распахнулся странным оскалом. И не поймешь, то ли улыбаться собиралась, то ли закричать. Что у них с Заломовым? Может, она страдает от безответной любви? Может, он обидел ее когда-то? Или что?

Соседова опустила голову и снова одернула шелковую блузку ядовитого цвета. Она нелепо на ней сидела, и цвет совершенно ей не шел. «Зачем так одеваться? — думал Данилов. — Взрослая баба, при деньгах. Могла бы себе позволить надеть что-то приличное. Но не эту униформу канарейки!»

— Совершенно точно, Заломов выгнал свою молодую жену, — продолжил развивать интересную тему подполковник, внимательно наблюдая за мимикой Соседовой. — Он теперь один.

— И именно поэтому в его лысую башку лезут грязные мысли о сотрудниках, заслуживающих уважения?

Соседова скрестила пальцы на своем мощном затылке, выставив в его сторону согнутые локти. Нелепая блузка снова задралась. Но она, кажется, этого и не заметила. Взгляд, которым она смотрела в сторону входной двери, не предвещал ничего доброго тому, кто мог через нее войти. Может, она ждала Заломова, незаметно от Сергея нажав какую-то невидимую кнопку? Может, время у них было назначено и он вот-вот просочится в кабинет в своем толстом твидовом пиджаке, так не подходившим под его светлые легкие брюки?

— Одинокая лысая башка, — произнесла Соседова едва слышно и вдруг встрепенулась всем телом, с грохотом уронила на стол руки, натянуто улыбнулась Сергею. — Знаете, он неплохой в принципе мужик, Василий наш Васильевич. Бабы его подводят, и я не прощу ему никогда...

— Чего? — насторожился Данилов.

— Того, что он хотел меня отравить! — возмущенно отозвалась Соседова. — Вы небось и думать забыли, что отравить-то в первую очередь хотели меня?! Расследуете смерть моих сотрудников, а первопричина вас совершенно не волнует?! Изначально-то хотели отравить меня!

— Просто чудо, что вы не выпили тогда свой кофе, — сверкнул в ее сторону глазами Данилов.

— Я просто ушла вместе со всеми, — кивнула она, с печалью глянув на дверь, ведущую в приемную. — Вы же знаете, чего снова спрашивать?!

— Просто чудо, что вы не выпили тогда свой кофе, — повторил с нажимом Данилов. — И просто чудо, что его не выпил Заломов.

— Вот! — Толстый указательный палец учительской указкой уставился Данилову в место между глаз. — А почему?! Он же всегда его пил! Всегда! А в тот вечер не выпил! Я ему задала этот вопрос. Спрашиваю, чего это ты, Вася, не выпил мой кофеек-то? Каждый раз его хлебал, выхватывая чашку почти у меня из руки. А тут... Он это, Сергей Игнатьевич! Он отравитель!

— А вот Заломов утверждает, что это сделал Горячев, — возразил Сергей.

— Ой, да бросьте!

Она делано хохотнула и как-то так сложила вялые губы, с намеком на кокетство, что Данилов невольно заподозрил ее в интересе к молодому красавцу Горячеву.

А что? Почему нет? Заломов рассказал, что они в последнее время друг от друга ни на шаг. Что она очень приблизила к себе юриста. Что он, пожалуй, единственный, кому она сейчас чрезвычайно доверяет. Может, в этом причина ее канареечной блузки? И юбки выше коленей?

— Зачем ему меня травить? — Она рассмеялась чуть увереннее, но взгляд оставался напряженным. — Что ему с того? Вот у Заломова был мотив. Он боялся разоблачения. Я же все совещание твердила, идиотка, что у меня в папке компромат на одного из них. Я же всем объявила, что утром собираюсь привлекать органы. Вот и по этой причине...

— Горячев поспешил избавиться от вас, как от угрозы. Он воровал ваши секреты и сливал их конкурентам, — со странной убежденностью перебил ее Данилов. — Потому что ему нужны были деньги. Потому что он... игрок!

Он не мог этого знать наверняка, не мог проверить слова Заломова. Ни одно подпольное казино не сдаст своего клиента. Его, казино-то, попробуй обнаружь. Не так все просто. Но этот франтоватый юрист засветился на снимках. Он соврал Саше про то, что был у ее деда с предложением руки и сердца. И он...

Дико не нравился Данилову, потому что ему нравилась Саша Воронцова. И он возьмет его в разработку, как бы этого ни хотелось избежать этой молодящейся бегемотихе. Но пока не станет считать Сашу соучастницей, потому что ему очень, очень, очень хочется ей верить.

— Он кто?! Игрок?

Соседова легла на стол мощной грудной клеткой и пару минут осматривала стены кабинета, будто искала невидимых свидетелей этой безумной клеветы. Будто ждала опровержения.

— Да, он постоянный клиент одного из подпольных казино в нашем городе. Часто ему не везет. Одно время его даже не подпускали к карточному столу. Но потом он вдруг долги погасил, и в его окружении появился некий господин.

— Что за господин? — скрипнула зубами Соседова.

— Высокий, темноволосый, смуглый, говорят, похож на иностранца, — повторил слово в слово описание Заломова Сергей. — Никто не приходит на ум? Никто не подходит под это описание, Алла Юрьевна?

— Нет, — коротко ответила, как гавкнула, она и принялась деловито рыться в бумагах. — Извините меня, Сергей Игнатьевич, но мне правда надо работать. Если у вас есть какие-то вопросы к Горячеву, дождитесь его возвращения.

— А когда он вернется? И откуда?

Оказалось, что вернуться Горячев должен завтра часам к десяти. Был со срочным поручением в соседней области. Дважды уже звонил, докладывал, уже выехал обратно, сообщил, что в дороге заночует.

— Завтра будет на месте, приходите.

Данилов взял у нее телефоны конторы, куда ездил Горячев, сверил еще раз с Соседовой его маршрут и вышел из кабинета. Он не слышал, как она взяла трубку и набрала номер Горячева и, когда тот ответил, зашептала взволнованно:

— Сашка, тебе не надо сюда возвращаться.

— То есть?

— Тут был у меня в гостях следователь Данилов. Знаешь такого?

— Да.

— Много вопросов задавал о тебе.

— Каких вопросов? Алла, ты же знаешь, я чист! Я же все тебе рассказал о себе. Ты же все знаешь! — Он судорожно вздохнул. — У нас ведь с тобой нет теперь друг от друга секретов, так?

— Да, малыш, но я только сейчас узнала, что ты игрок. — Она подождала, но он не возмутился откровенной лжи и не попытался ее разуверить, и продолжила: — Что у тебя не так давно была куча долгов, Саша. Это так?

— Было дело, — признался он нехотя через паузу. — Алла, это не преступление!

— Да, но погасить тебе их помог, насколько я понимаю, Барышников. Так ведь?!

Горячев едва слышно чертыхнулся и не ответил.

— Саша, это так?! Ты сливал ему нашу информацию?! Ты?!

— Алла, я тебе все объясню! Это совсем не так. Меня с ним познакомил Гена.

— Савельев?

— Да. — Вранье удалось, и он затараторил как по писаному: — Я проигрался, Генка — тоже, познакомил меня с этим мужиком. Я толком его и не знаю даже, Генка с ним сам общался. И в долг мне давал тоже Генка. И...

— Следователь считает, что это ты хотел отравить меня, Саша. Он практически в этом уверен.

— Ой, господи! — взвыл Горячев. — Алла, Алла, мы же с тобой, как никто, знаем, кто кого хотел отравить! Чего опять?! Разве ты не заступилась за меня?

— А как же! — Она криво ухмыльнулась, оглядела желтый шелк, снова задравшийся на животе, и с силой зажмурилась. — Я только этим и занималась, Саша. Но их не переубедить. Ты вот что... Давай-ка домой не приезжай и нигде не останавливайся.

— А куда мне ехать?

— Поезжай в мой загородный дом. Пересидишь там пару дней, пока все не утрясется. Кстати... Это Васька Заломов слил тебя.

— То есть?

— Он был сегодня в полиции и все им рассказал: и про казино, и про то, что ты отравитель.

— Офигеть же, Алла! — возмущенно взвизгнул Горячев. — Ну я этому старому козлу устрою! Я ему морду вычищу до десен! Скот!

— Кстати, можешь заехать, он теперь один, — произнесла Соседова с ядовитой ухмылкой. — Девка его подзаборная теперь на вольных хлебах.

Он чуть не сказал, что в курсе!

— Ладно, малыш, будь осторожен. Про Заломова это я погорячилась, конечно. Нечего тебе там делать. Старая сволочь и без тебя издохнет. Не суйся туда, понял?

— Так точно, мэм! — хохотнул Горячев. — Отсижусь в нашем гнездышке, как велено! А ты... ты приедешь ко мне, Алла?

— А нужно? А хочешь?

Она кокетливо улыбнулась, но тут же спохватилась. Он все равно не видит ее сейчас. Нечего игрищам предаваться, которые, кстати, не особо у нее выходят.

— Конечно, хочу! — подхватил Горячев. — Еще как хочу!

— Да, и еще этот юный следопыт утверждает, что ты подозреваешься в целой серии преступлений, Саша. Я... я еще чего-то не знаю, а?..

Горячев даже машину остановил на обочине после разговора с Соседовой, так выела ему мозг за какие-то пять минут старая гадина. Он ненавидел ее, остро ненавидел. Даже сильнее, чем свои пороки, ненавидел он Аллу. Потому что в принципе она и была еще одним пороком, тайным, грязным пороком. И он предавался ему до тех пор, пока ему это было выгодно. Пока его ложь о Геннадии Савельеве благополучно ею проглатывалась и пока этого хотели его заказчики.

— Держи эту толстую стерву за горло, Саша. Держи.

— Как долго?!

Его всякий раз передергивало от воспоминаний об их постельных баталиях. Соседова была та еще выдумщица.

— Настолько долго, насколько сочту нужным.

Тон заказчика не оставлял никаких надежд на освобождение. Было ясно, что они постараются выдоить из Соседовой все, что только можно. Жаль, что его руками и его телом.

— А тебе ничего не остается делать, Саша. Ты в полной заднице, — сказали ему, когда он взмолился, что больше не может ублажать эту бабу в постели. — Вот погоди, менты еще нацедят что-нибудь на тебя...

Кажется, предсказания сбываются, кажется, уже нацедили. Видимо, на записях с камеры он все же засветился. И что теперь?! Рассказывать всю правду? Всю, всю, всю?

Но это ведь...

А это ведь ему ничем не грозит, черт побери! Чего он боится? Ему-то, собственно, бояться нечего. Сегодня, конечно, нет. Он к ним не поедет, устал. Вымотала дорога, долгие переговоры. Устал манерничать с упрямством, улыбаться в пустые холодные глаза. Но раз Соседова велела, он не ослушается. Он и ее послушает, он пока всех слушается. Пока не нашел выхода из сложившихся обстоятельств.

Сейчас он снова ее послушает. Он поедет в ее загородный дом и переночует там. Только остановится там не на два-три дня, а всего лишь на ночь. А утром...

Утром он навестит Данилова и все-все-все ему расскажет. Пускай его даже закроют на семьдесят два часа, он не против. Он отоспится за это время и все хорошо обдумает. Предъявить ему все равно нечего. А записи с камеры — ерунда. Этому тоже есть объяснение. Пусть даже кого-то оно и не устроит. И еще одно: он не мог себе отказать в удовольствии позвонить Заломову. Этому старому нелепому бухгалтеру, возомнившему себя молодым пижоном, следует знать кое-что. Следует знать...

ГЛАВА 15

Игорька Мишина определенно сегодня все кидали. Сначала не захотел ему посочувствовать Данилов. И приказным, непривычно приказным тоном велел ему выпотрошить всех сотрудников поликлиники, где раньше работали Лопушины. Старых причем! Правда, не сказал, как он должен это делать!

Кому некогда, кто ничего о Лопушиных не знал, кто вообще не помнил, кто такие. Мишин три часа слонялся по клинике, не зная, как подступиться и пробить брешь в неприступном врачебном молчании.

— Молодой человек! — возмущенно воскликнула одна из врачих с долголетним стажем и накрыла обеими руками толстую стопку больничных карточек. — Вы это видите?! Знаете, что это?!

— Вижу, — изо всех сил улыбался Мишин, хотя делать это устал еще час назад. — Это больничные карточки.

— Нет! Это не карточки, молодой человек! Это люди, это судьбы! Их много. Они все требуют внимания. Как я могу лишить их этого, скажите?! И все ради чего? Все в угоду вашему любопытству!

Приблизительно так же говорили с ним и в других кабинетах. И если кто-то и снисходил до ответов, то они ничего не значили.

К трем часам дня он устал, вспотел так, что от его рубашки стало неприятно попахивать, проголодался и решил навестить местный кафетерий.

Кафетерий был крошечным, четыре на четыре метра. С тремя столиками, стойкой, за которой в настоящий момент никого не было, кофейным автоматом и автоматом, выдающим леденцы в упаковках, еще чипсы и сухарики. Посетителей в настоящий момент не было, в больнице начался тихий час. Мишин взял себе чашку горячего шоколада, пристроился за пустым столиком возле стойки и всерьез подумывал взять себе упаковку чипсов, хотя у него постоянно от них болел желудок.

— Что-нибудь желаете?

Голос над головой заставил его вздрогнуть. Мишин поднял глаза. Из-за стойки выглядывала пожилая буфетчица в черных одеждах в белоснежной шапочке и с таким же белоснежным передником.

— А что-нибудь есть? — с надеждой спросил Мишин, отметив про себя, что женщина смотрит по-доброму. — Я бы съел сейчас хоть что-нибудь! Простите, но это есть не могу. — Он кивнул в сторону аппарата с чипсами и леденцами.

— А это и не надо, — обрадовалась буфетчица, достала потрепанное меню, начала перечислять: — Есть пицца, но дрянь, не советую. Есть пельмени, нормальные вполне, быстро сделаю в микроволновке, хотите со сметаной, хотите с соусом. Чебуреки, но так себе. Котлетки есть, хорошие, почти домашние.

— Ой, давайте пельмени и котлетки.

— Сколько? — Она швырнула меню под стойку.

— Пельменей штук двадцать и две... нет, три котлеты!

Мишин судорожно сглотнул. У него аж веснушки побелели от вожделенного желания загрызть эти почти домашние котлетки. Надеялся, что ждать придется недолго, что он не умрет и не захлебнется желудочным соком, пока она станет все это готовить.

Буфетчица хлопотала сноровисто. Гремела стеклянная посуда для микроволновых печей, рвались пластиковые упаковки, гремели замороженными камушками пельмени и котлетки. Она загрузила сразу две микроволновки, выставила время и, пока готовилось, снова облокотилась о стойку.

— Вы к кому-нибудь пришли? — спросила она у бледного Игорька. — Кто у вас болеет?

— Да, собственно, ни к кому. Или ко всем сразу.

— Как это?! — Она настороженно подобралась. Полное лицо, казавшееся добродушным еще пару минут назад, сделалось суровым. — Хулиган, что ли?! Или маньяк, прости господи?! Я щас охрану позову!

— Из полиции я. — Игорек показал ей удостоверение. — Опрашиваю сотрудников, которые работали здесь давно, но... но все бесполезно.

— А чего опрашиваешь-то, Игорь? — свойски спросила его буфетчица, представившаяся тетей Надей. — О чем хоть?

— У вас тут работали давно, может, лет десять назад, супруги Лопушины. Иван Сергеевич и Валентина Сергеевна. Они...

— Знаю, можешь не говорить. Знаю я этих аферистов! — фыркнула тетя Надя с чувством. — О-ох и почудили они! Ох и почудили!

— То есть? То есть вы их знали? Хорошо знали?! — Мишин даже про пельмени позабыл с котлетками, хотя по кафетерию уже поплыл характерный аппетитный запах.

— А кто же их не знал-то? — фыркнула она с чувством.

— Но никто, представляете, никто не хочет делиться со мной своими знаниями, — пожаловался Игорек, кивнув на дверь. — Полдня ходил по кабинетам — бесполезно.

— А оно и понятно. Из-за них людей еще тогда затаскали. Многие захотели забыть и про Лопушиных, и про те времена, — скорбно поджала губы тетя Надя. — Иван Сергеевич-то женским врачом работал, а Валя акушеркой. Прибыли к нам откуда-то из соседнего района. Там небось перекрестились сто раз! Но мы-то не знали тогда, что это за славная парочка! Погоди-ка, Игорек...

Тетя Надя достала стеклянную кастрюльку с пельменями, переложила их в глубокую тарелку, щедро полила сметаной, посыпала сверху рубленым укропом, подала Игорю. Пока он перемешивал, подоспели и котлетки. Их тетя Надя по своему вкусу полила соевым соусом и тоже щедро посыпала укропом. Подала Мишину три здоровенных ломтя хлеба. И, вымыв кастрюльки, через минуту вышла из-за стойки.

— Они тут долго нервы мотали всем от мала до велика, — сообщила она доверительно, подтащив стул и усаживаясь к Игорю за столик. — Такая сволочная пара, Игорек, такая сволочная! Начали прямо с меня. То тарелки не так вымыты, то кофе жидкий. Тогда аппарата не было, я сама кофе варила. Так вот цеплялись каждый раз, как заходили. Потом изжили всех медсестер, что с ними работали. По очереди девчонки увольнялись!

— Иван Сергеевич на приеме работал? — Игорек смел пельмени, пододвинул тарелку с котлетками. Было горячо, вкусно и ароматно.

— И на приеме, и в отделении, когда дежурил. Потом его завотделением сделали.

— Ничего себе! Как это ему удалось?

— О-о, по трупам шли эти двое! В прямом и в переносном смысле, — понизила голос до шепота тетя Надя. — Роженица умерла в Валькину смену. Так Иван все сделал, чтобы от нее подозрение отвести, обвинил во всем лечащего врача. А его в ту ночь и не было, Валька одна дежурила.

— А врач где был?

— Врач-то... — Тетя Надя с сожалением глянула на Игорька: — Да пьяный спал в подсобке.

— Ничего себе! Но ведь получается, виноват, разве нет?

— Виноват, что напился, спорить не стану. Но роженицу-то упустила Валька! Могла бы вызвать кого-нибудь, раз случай серьезный, хоть Ивана своего. А она не вызвала, сама начала своевольничать. И роженицу упустила. Ох, что тут было!

— Что?

— Проверки, проверки, ваши замучили, из прокуратуры, отовсюду. Мне и то досталось!

— Доказали?

— Что?

— Ее вину доказали?

— Ладно тебе, Игорек, как маленький, — грустно улыбнулась тетя Надя, тронув белоснежную шапочку. — Кто ее обвинит, если в отделении врач дежурил?

— Так он пьяный был!

— Кто же об этом заикнулся-то, как маленький, честное слово! Главврач сказал: кто вякнет, за ворота сразу. И нигде потом работы не найдет в городе. Так-то... — Она кивнула на стойку кафетерия, за которой прежде хлопотала: — Мне и то досталось. Молчи, говорит, иначе... Я и молчала. Теперь-то уж что! Сколько лет прошло.

— И что того врача? Посадили?

— Нет, отстранили, лишили возможности работать по специальности. Докторши наши его навещали какое-то время, жалели все. Он и держался, а потом Иван Сергеевич возмутился. Что, мол, к опальному доктору, находящемуся под следствием, делегация за делегацией ходит? Неправильно это. Настучал главврачу. Тот провел работу среди персонала. Мне тоже досталось... — вспомнила она со вздохом. — Говорит, Надежда Ивановна, еще узнаю про твои пироги в квартире опального доктора, уволю к чертовой матери. Ну, мы ходить и перестали к Михалычу. Золотой человек был. И врач от бога!

— Что же такой хороший человек пил на дежурстве?! — изумился Игорек, подбирая последние котлетные крошки.

— Кто же его знает-то! Болтали разное...

— Что, например? — Он встал и взял себе еще одну чашку горячего шоколада. Теперь он мог говорить с упрямым персоналом хоть до утра.

— Что Валька специально его опоила, подсыпала ему чего-то.

— Зачем?!

Игорек застыл с чашкой возле стола, с недоверием рассматривая буфетчицу, которая от скуки сейчас возьмет и наболтает ему всякой белиберды. Его потом за это Данилов с работы погонит. Зачем, спросит, в больницу ходил? Чтобы нажраться и скрасить скуку рабочего дня пожилой буфетчице.

— Ты не думай, я с ума-то не сошла, — угадала его взгляд тетя Надя. И, понизив голос до шепота, проговорила: — Болтали, что заказ на роженицу ту был.

— Что?! Заказ?! Какой такой заказ?

Этого еще ему не хватало! Лучше бы уж никакой информации, чем такая. С чем он к Данилову-то вернется?

— Убить ее надо было, вот что. — Полное лицо добродушной буфетчицы стало белее шапочки и передника. — То ли свекровь ее заказала, сноха будто бы неугодной была, то ли сам муж желал смерти своей неверной жене. Точно не помню уже.

Ужас! Игорек одним глотком выпил сладкую вязкую жижу, поводил языком во рту, пытаясь слизать гущу. И снова подумал: ужас! Просто бразильские страсти!

— А что стало с ребенком?

— С каким ребенком? — не поняла тетя Надя, она задумчиво рассматривала свои руки с облупившимся маникюром.

— С ребенком погибшей роженицы? Его тоже заказали? Свекровь или муж там, не знаю. Что с ним?

— А, ребенок погиб, конечно. Не родился. Болтают, что не от мужа был, вот так все и вышло.

— А что в полиции? Эту версию рассматривали?

Игорек сильно сомневался, и оказался прав.

— Ладно тебе, Игорек, как маленький, — замахала на него руками тетя Надя. — Кого же это интересовало? Все в бедного Михалыча вцепились, жизнь ему загубили и успокоились. А эта парочка продолжила дальше дела творить.

— Какие такие дела?

— Ой, много историй тут еще потом было! Но каждый раз все как-то удавалось им вывернуться. То малыш погибнет по халатности, они опять ни при чем. Хотя снова Валина смена. То отказной ребенок пропадет. Потом, правда, находится, но... Но много у них было грехов, очень много!

— Как они ушли отсюда? Добром?

— А то бы прям! — Тетя Надя гневно раздула ноздри. — Сами! Ушли их! Главврач попросил их отсюда, попросил их уйти на заслуженный отдых подобру-поздорову. Пока, говорит, нас не взорвали вместе с вами! На пенсию их отправили, вот.

— Что-то опять случилось?

— Случилось, опять. — Она опустила голову, скорбно вздохнула: — Осиротили они двух девчушек.

— Как это?

— Роженицу опять упустили.

— Опять по заказу? — на всякий случай спросил Игорек, хотя ни минуты не верил в версию такого ужасного преступления.

— Нет, на сей раз по халатности. Тут столько шума было, столько шума... И полиция их таскала без конца, и нас вместе с ними. Им угрожали! Даже на Ивана покушались будто бы. Точно не скажу. Вот им и пришлось уехать отсюда. Даже фамилию пришлось менять в срочном порядке. Раньше-то они были Верещагиными, по Ивану. Потом уже взяли фамилию Вали. Она в девичестве была Лопушиной. Она, стерва...

Игорек тепло поблагодарил буфетчицу, хотя многое из ее рассказа брал под сомнение. Но благодарил все больше за котлетки и пельмени с укропом и сметанкой. Еще два голодных часа он бы не пережил. И поехал в Заславское отделение полиции.

Там история почти повторилась. Никто из молодых сотрудников ничего про историю супругов Верещагиных-Лопушиных не знал. Посоветовали Мишину обратиться в архив. Он чуть не заплакал от перспективы копаться в груде пыльных папок.

Либо...

— Либо к Вострикову съезди, — порекомендовал Игорю его коллега, проникнувшись сочувствием. — Он на пенсии сейчас, на даче живет. Все дела по больничке много лет назад ему отдавали.

— А почему?

— Опытный был мужик, матерый. Я точно ничего не могу сказать, в этом районе как пять лет.

А вот Востриков... Я ему сейчас позвоню и спрошу, сможет он с тобой поговорить или нет. Я с ним год проработал. Отличный мужик! — Коллега достал мобильный телефон, долго листал, потом ткнул в экран пальцем и минуты три ждал ответа. — О, Евгений Евгеньевич, здорово!.. Я! Угадал! Нет, тьфу-тьфу, слава богу, ничего такого. Помощи соседи просят. Из Центрального... Что за вопрос? Помнишь, Евгений Евгеньевич, дела больничные? Во! Опять эта парочка всплыла, теперь уже в Центральном... Ага! Я и говорю, что лучше тебя никто не знает... Ага! Хорошо, скажу адрес. Отлично! Что натворили?

Коллега отнял ухо от телефона, глянул на Мишина с вопросом:

— Спрашивает, что на этот раз натворили? Не угомонились, мол, за столько лет. Они же на пенсии. Что, коллега?

— Да, собственно, ничего. — Мишин пожал плечами: — Убили их.

— Убили, Евгений Евгеньевич! — почти радостно оповестил пенсионера коллега Игоря. — Кто и за что?

— Сосед, предположительно, бывший военный, из наградного пистолета, — озвучил Игорек первоначальную рабочую версию. Она хоть и рассыпалась в прах, но других пока не было.

— А-а, понятно... Хорошо, Евгений Евгеньевич, скажу. Пока! Спасибо за приглашение! Непременно приеду! Не брешу, ей-богу, приеду... — Он убрал телефон в карман, посидел с задумчивой улыбкой, потом проговорил с сожалением: — Хороший мужик! Жаль, рано ушел. Мог бы еще и поработать.

— А чего ушел?

— Устал, — пояснил коротко коллега. — Погоди, вот приедешь к нему, сразу поймешь, чего он ушел. Там у него такая красотища...

Игорек взял из рук коллеги листок с адресом и снова чуть не заплакал: ехать надо было за город, далеко за город. А он без машины. Данилов к вечеру просил доложить о результатах. А какой, к чертям, вечер! Ему к полуночи бы туда добраться, если на перекладных.

Но начальник неожиданно порадовал:

— Я сам съезжу. А ты вот что... Давай бери машину и понаблюдай-ка ты за Соседовой.

— За Соседовой? За той, что начальник фирмы, где...

— Да, Игорь, да! — не дав ему договорить, рявкнул Данилов. — Начальница тех самых невинно загубленных душ, попавшихся по ошибке.

— А чего вдруг? — непривычно огрызнулся Игорек.

Честно? Он обиделся! Он весь день как проклятый носился по больничным коридорам и кабинетам. Не ел, вспотел, устал. Опять же, не безрезультатно. Вон сколько информации нарыл на этих Лопушиных. И Игорек сильно надеялся, что Данилов его меняет, решивши сам ехать на дачу к Вострикову Евгению Евгеньевичу, из сочувствия и жалости. Устал сотрудник, пускай едет домой, примет душ, переоденет рубашку и... и уже сходит куда-нибудь вечером. Тысячу лет не отдыхал в хорошей компании.

А что получается? Получается, что вместо отдыха ему надлежит наблюдать за пожилой дамой ужасных размеров, которая чудом осталась жива и теперь...

— Ей что, снова угрожает опасность? — спросил Игорек, потому что Данилов на его первый вопрос не соизволил ответить, начав давать распоряжения, куда и к кому обратиться насчет машины.

— Вот мы и посмотрим, — туманно пояснил Данилов. — Не спускай с нее глаз, Мишин. Упустишь — лишу премии!

— Да в чем хоть дело-то, Сергей Игнатьевич? — осторожно возмутился Мишин. — С какой хоть стороны ей угрожает опасность?

— Думаю... думаю, Игорек, что у нас с тобой к завтрашнему утру появится один-единственный подозреваемый во всех трех преступлениях.

— В каких же?

— В похищении секретной информации, в отравлении сотрудников небезызвестной нам с тобой фирмы и в тройном убийстве.

— И кто же это?!

— Горячев... Александр Горячев, Игорек. Его невероятно фотогеничную физиономию, шикарный профиль, широкие плечи, дорогую машину зафиксировала камера наружного наблюдения и в день убийства, и за несколько дней до убийства.

— Ух ты! Он что же, прямо в подъезд входил в тот день?

— Не в тот, в соседний. Но мы же с тобой знаем, как просто пройти чердаком и попасть в любой подъезд этого дома, так?

— Так. Так это... Надо брать его!

— Возьмем, никуда он не денется. Мне сейчас важно выяснить, если ли у него сообщники...

Игорю показалось, что Данилов скрипнул зубами. Но это просто могло показаться. Они все в последние дни были на нервах.

— Вы думаете, что Соседова — его сообщница?! — ахнул Игорь и тут же прикусил язык.

Он что-то не то сказал, Данилов выругался и приказал не болтать языком, а работать. И если он упустит сегодня Соседову, то он не премии, он шкуры его лишит.

— Ладно, работай. И если что интересное, сразу фотографируй, — буркнул напоследок Сергей Игнатьевич. — И это... Извини за резкость.

— Так точно, товарищ подполковник, — нарочно, чтобы позлить, отозвался Игорек с обидой. — Будет сделано, товарищ подполковник!

— Да иди ты...

Данилов отключился, а Мишин, потратив полтора часа на то, чтобы получить служебную машину, предназначенную для наружного наблюдения, еле успел к концу рабочего дня на фирму «АллЮС».

Мишин припарковал грязно-серую «девятку» в небольшом тупике, уткнувшись задним бампером в разросшиеся кусты. С этого места прекрасно просматривался выезд фирмы. Игорь со вздохом вытянулся на сиденье и начал ждать. Главное сейчас было — не задремать. Тогда вместе с его премией и шкурой с него снимут еще и голову.

Через пять минут он и правда чуть не опоздал: народ начал разъезжаться. Машины одна за другой подъезжали к шлагбауму, опускалось стекло водителя, охраннику демонстрировался пропуск, стекло поднималось, автомобиль уезжал. Машина главного бухгалтера выехала с территории за десять минут до машины Соседовой. Чуть постояла за воротами, мотор не глушился, потом, не дождавшись чего-то или кого-то, уехала.

Игорек нетерпеливо заворочался. В «девятке» было не тепло, он не включал мотора, экономя бензин, но глаза все равно слипались. Не уснуть бы! Хоть бы уже быстрее Соседова выехала, хоть бы уже быстрее отправилась к себе домой — в центр города, в шикарную двухуровневую квартиру с панорамным балконом и мраморным полом в прихожей и кухне. Игорек был там, знает.

Выехать-то она выехала, порадовав минут через десять. Только домой не поехала ее тачка. Свернула для начала к гипермаркету, приткнулась с самого края стоянки. Соседова вышла с дамской сумкой и, не оглядываясь по сторонам, пошла в магазин. Игорю издалека показалось, что выглядит она расстроенной. Или уставшей? Или просто сильно постаревшей, и уставшей, и расстроенной. Неважно выглядела хозяйка фирмы, сделал вывод Игорек.

В магазине Алла Юрьевна пробыла пятьдесят минут. Он засекал. Накупила гору всего. Еле сдержался, чтобы не броситься ей на помощь, когда один из трех пакетов вырвался из ее рук и на землю выкатились большущие зеленые яблоки. Загрузив покупки в багажник, Алла Юрьевна выкатила машину со стоянки и поехала, черт бы ее побрал, за город!

Все надежды на то, что наблюдение за ее квартирой в центре города ему не было бы в тягость, рухнули. Там он мог бы вызвать знакомую девушку, она бы скрасила время, так сказать. И за кофе сбегала бы, и за пончиками, и просто посидела бы с ним, поговорила. А теперь что? Теперь сидеть возле высокого забора, которым наверняка был огорожен загородный дом Соседовой, в одиночестве. Таращиться на ворота и считать до бесконечности вслух, чтобы не уснуть.

— Зачем же ты туда поехала-то, Алла Юрьевна?! — взвыл Игорек, старательно лавируя в потоке машин, чтобы не попасться на глаза Соседовой и в то же время не потерять ее из виду. — Что тебе там надо посреди недели?! Ладно бы выходной...

Ответы вдруг начали появляться один за другим по пути следования. И чем больше появлялось ответов, тем больше рождалось вопросов в душе Мишина.

Сначала его обеспокоила машина, с ревом выкатившая ему навстречу, когда Игорек уже въезжал на территорию дачного поселка. Соседова проехала там тремя минутами раньше. Машина показалась ему знакомой, он резко притормозил и обернулся.

Ну! Заломова автомобиль-то, он не ошибся! Что он здесь делает? И как успел сюда?

Хотя времени у него было предостаточно. Сама Соседова выехала с работы через десять минут после отъезда главного бухгалтера, потом пробыла в магазине целых пятьдесят минут. Итого — час! Времени предостаточно, чтобы успеть доехать до дачного поселка и вернуться, попавшись им на глаза. И даже времени предостаточно оставалось на что-то еще. На что?!

Игорек почувствовал легкое беспокойство. Но поехал вперед, решив, что Заломову можно будет задать вопросы и завтра. Сейчас его цель — Соседова. Зачем она едет в загородный дом посреди недели? Кому накупила столько еды? Ей одной столько продуктов не съесть и за две недели. Одних яблок килограмма два!

Ответ был получен прямо у стен ее дома. Хвала небесам, высокого забора не было! Функцию ограждения выполняла невысокая, с полметра, живая изгородь. И прекрасно просматривался и сам дом — двухэтажное стильное строение с громадной застекленной верандой, опоясывающей дом по периметру. Гараж, засаженная туями аллея от входа до крыльца, дюжина крохотных пустующих клумб и...

И машина Горячева! Его авто стояло возле запертых гаражных ворот, Игорек отлично помнил марку и номера. И сам Горячев метался по веранде с телефоном в руке, его тоже отлично видел Мишин.

Что он тут делает, интересно? С какой стати хозяйничает в доме Соседовой? Для него покупались продукты, которые Алла Юрьевна еле дотащила из магазина? Или они ждут общих гостей?

Игорек загнал машину поглубже в заросли сиреневых кустов, они разрослись шатром позади участка, расположенного напротив Соседовой. Достал казенный фотоаппарат, сделал несколько снимков машины Горячева, его силуэта, мечущегося по веранде, Соседовой, выходившей из машины, которую она приткнула за машиной Александра.

Потом нащелкал снимков, где она достает пакеты с продуктами из багажника. Где Александр выбегает ей навстречу на улицу, берет из ее руки пакеты. И где... нежно целует ее в губы при встрече.

— Они любовники, Сергей Игнатьевич! — яростным шепотом оповестил Мишин Данилова, еле пробившись тому на телефон сквозь плотную зону недоступности.

— Кто любовники, Игореша? — Данилов был зол, это ощущалось по голосу.

— Соседова и Горячев!

— Да ладно! — Данилов помолчал. — Они где теперь?

— В ее загородном доме. Она после работы поехала в магазин, набрала еды на футбольную команду. И сразу сюда, а он уже был здесь. Встретил ее, и они поцеловались. В губы! Как любовники!

— Понятно... — Данилов помолчал, потом вдруг спросил:— А больше ничего подозрительного не случилось за то время, пока ты за ней наблюдал?

— Так это... При въезде в дачный поселок нам навстречу Заломов попался.

— Главбух?

— Так точно, товарищ подполковник.

— Так, так, так... Горячо, Игорек! Очень горячо! И уехал, значит... Так я и думал... Не спускай с них глаз! О каждом шаге и действии Соседовой мне докладывай! Чудится мне, представление только начинается. Все фиксируешь?

— Так точно!

Мишин сделал пару бесполезных снимков туевой аллеи и кустов, в которых прятался. Так, на всякий случай.

— Давай, я уже подъезжаю к этому благословенному месту, где спрятался ото всех заядлый рыбак Евгений Евгеньевич Востриков, — проворчал Данилов. — Был бы толк.

— Красиво там, говорят.

— Ага! Озера, пруды, мошкара, связи ни черта нет. Но ты все равно звони, может, пробьешься.

Данилов отключился. Мишин пристроил камеру на панели, протяжно зевнул. Только бы не уснуть! Сейчас бы подружка с кофе и пончиками точно не помешала бы. С ней бы он точно не уснул.

В доме, за которым он наблюдал, пока ничего не происходило. То есть Соседова с Горячевым, после того как вошли с покупками в дом, больше на глаза Мишину не попадались. Но потом вдруг в большой угловой комнате первого этажа, прекрасно просматривающейся сквозь витражные стекла веранды, загорелся свет.

Кухня! Громадная, сверкающая зеркальным стеклом, хромом и красным блестящим пластиком. Эти двое собрались ужинать. Соседова, не переодевшись, натянула на себя передник, вымыла яблоки и принялась делать сок, подтянув из угла на край стола большущую соковыжималку. Горячев, тоже в переднике, надетом прямо на голый торс, что-то резал, стоя в противоположном углу. Они оживленно переговаривались. Соседова без конца смеялась, запрокидывая голову. Горячев улыбался. Понять, чьи это были шутки, Игорю не представлялось никакой возможности. Он просто наблюдал и делал фотографию за фотографией, искренне надеясь, что делает необычайно важное дело. Так чудилось Данилову. А ему...

Ему отчаянно хотелось спать. Ну и, быть может, от горячего супчика он бы не отказался. Наверняка на этой красивой сверкающей кухне сейчас готовится что-то вкусное и горячее. Соседова вымыла соковыжималку, отфильтровала сок, разлила его в два высоких бокала и после небольшого замешательства подала один из бокалов Горячеву. Тот стащил с себя передник, демонстрируя Соседовой и Мишину идеальный живот. Последовал его непременный поцелуй. И он начал пить сок. Соседова стояла рядом и любовалась. Так казалось Мишину. Она стояла и смотрела, как ее любовник поглощает фрэш, поигрывая своим бокалом и не прикасаясь к нему.

А дальше начали происходить странные вещи. И Мишину расхотелось спать, есть и даже на мгновение жить. Потому что Данилов снова оказался вне зоны действия сети, а его совет был срочно нужен.

А как без совета действовать? Что предпринимать, если Горячев вдруг через каких-то минут пять-десять, после бессмысленных блужданий по кухне следом за Соседовой схватился за желудок и упал. Это Игорек сделал вывод, что упал, потому что тот вдруг сложился пополам и исчез из поля зрения. А Соседова продолжала стоять, видимо, над ним. Стояла и смотрела куда-то вниз, себе под ноги. Потом перешагнула, видимо, через Горячева, стащила с себя передник. И... принялась тщательно убирать кухню. Мишину трех минут хватило, чтобы сообразить. Она убирает следы своего пребывания! Тщательнейшим образом убирает! А Горячев?! С ним-то что?!

Игорек щелкал затвором фотоаппарата как заведенный. И так же без конца набирал Данилова. Самому сейчас, без приказа, врываться на чужую территорию было нельзя. А если Горячев просто валяется на полу? Если дурачится? Если спит? Если игры ролевые у них такие, а? Он валяется на полу, а она убирает на кухне. И это их обоих заводит?

— Господи, делать-то что?

У Мишина так пересохло во рту, что язык казался огромной деревянной палкой, оставляющей на его деснах и нёбе громадные занозы. Мысли, суматошные, страшные, жалили мозг.

А вдруг Горячев умер?! Вдруг она что-то такое подсыпала ему в сок, яд например, и он сейчас умер?! Или умирает?! А Игорь просто сидит и ничего не делает! Соседова же стояла к ним обоим спиной и что-то делала, чего не было видно ни ему, ни Горячеву, после того, как она разлила сок по бокалам. Может, она яд всыпала? Или это сделал до нее Заломов, успев побывать у Горячева в гостях? А она...

Почему она тогда не реагирует? Почему не вызывает «Скорую»?!

Дальше — больше! Соседова, убрав все на кухне, тщательно протерев мебель и разложив всю посуду по шкафам, исчезла из кухни, выключив там свет, и через несколько минут возникла на пороге дома со всеми пакетами, с которыми выходила из супермаркета. Все это погрузила обратно в багажник и через пару минут уехала.

Все! Что хочешь, то и делай! Ехать за ней, как велел Данилов? Или все-таки попытаться помочь Горячеву?!

Мишин в который раз набрал Данилова. Бесполезно! Связи не было. Вылез из машины, повесил фотоаппарат на плечо, поставил машину на сигнализацию, огляделся. Никого вроде не было поблизости. Окна не горели ни в одном из домов, а их он насчитал четыре. Те, которые просматривались с дорожки, ведущей к крыльцу дома Соседовой. И вошел в дом. Ему это удалось. Она не заперла входную дверь.

— Эй! — громко окликнул Мишин, очутившись в темной прихожей размером со всю его однокомнатную квартиру.

Темно, тихо. Спину будто кто щедро щебнем посыпал, такие мурашки поскакали от страха.

Да, он боялся. И это нормально. Он же человек.

— Эй, Александр! — еще громче позвал Игорек, и ему показалось, что он слышит слабый стон. Или показалось. Он уже почти заорал: — Александр! Горячев!

Точно! Не показалось! Стонет! Горячев стонет! Больше-то в доме быть некому, Соседова уехала.

Игорек, быстро привыкнув к темноте, пошел на стон. Холл, коридор, три шага налево, широкий дверной проем. Это кухня. Он пошарил руками по стене с правой стороны. Нащупал выключатель, включил свет. И попятился.

Горячев корчился на полу в луже собственной блевотины и едва слышно стонал. Лицо его, побледневшее до синевы, было искажено от боли.

— Что?! — подлетел к нему Мишин, справившись с брезгливостью и страхом. — Что с вами, Горячев?!

Тот чуть приоткрыл глаза и прохрипел:

— Отравила... И меня отравила, тварь...

ГЛАВА 16

Данилов поигрывал бесполезным телефоном. Связи в доме Вострикова Евгения Евгеньевича не было, и стационарного телефона у него не было тоже.

— А зачем он мне? — подивился бывший сотрудник полиции, ныне пенсионер и заядлый рыбак. — Я отдыхаю, подполковник, впервые отдыхаю. Я спать научился спокойно, зная, что никакой телефон и будильник меня не разбудят. Ты вот скажи, ты хорошо спишь?

Данилов вообще не спал последние две ночи. Или почти не спал. Сном назвать странное забытье, сквозь которое он думал, и думал, и думал, было невозможно. Он вел молчаливый диалог с Сашей Воронцовой, допрашивал Горячева, подозревал Соседову и Заломова. Потом вздрагивал, открывал глаза и размышлял, а сон это был или все же явь? Чего тогда так явственно слышны были их голоса?

— Плохо, — признался Данилов.

— Вот, подполковник, вот! — Востриков поднял палец кверху, перестав хлопотать с тарелками. Он вдруг решил накормить коллегу ужином. — А я о чем? Покой тебе даже и не снится! А я сплю, отдыхаю от всех этих урок и жмуриков. Гостей вот встречаю, ребята часто приезжают.

— Как же до вас дозвониться смог ваш бывший коллега? — спросил Данилов, повертев в руках бесполезный тут мобильник.

— А-а, это я как раз на рыбалке был. Там связь берет.

— А далеко отсюда?

— Да нет, километра полтора. На велосипеде езжу. На машине там не проехать. — Востриков поставил миску с горячей картошкой в центр стола, потеснив блюдо с жареной рыбой, салатник с малосольными огурцами и блюдце с колбасой. — Вот он меня как раз и перехватил, а тут вот бесполезно. Но я дома-то только вечером и утром бываю. Все остальное время на природе. Красота тут, подполковник, я тебе скажу... Выпьешь соточку?

— Выпью, — кивнул Данилов.

Они выпили, закусили. Данилов так жадно набросился на еду, будто неделю голодал. Хотя, если разобраться, весь его рацион, состоявший из горячих бутербродов, успевающих всегда остыть к тому моменту, как до них доходила очередь, едой назвать было сложно. А тут все так вкусно, горячо, аппетитно.

— А у меня еще и сальце есть, будешь, подполковник? — аппетитно хрустел малосольными огурцами Востриков.

— Буду! — кивал Данилов.

Он все будет, все. На его тарелке лежало три картофелины, два надкусанных огурца, два куска колбасы, сало, хлеб. Он спешил, откусывал, откладывал на тарелку. Свежий воздух, что ли, на него так подействовал? Он ел и не мог насытиться.

Через десять минут, подобрав с тарелки все до крошки, он выдохнул:

— Вот спасибо, Евгений Евгеньевич, давно так вкусно не ел.

— Холостой? — скорее не спросил, а констатировал Востриков и сам же ответил: — Холостой...

А когда нам, скитальцам, личной жизнью-то заниматься? Нам некогда своих женщин любить. Нам чужих спасать надо. Н-да... Ну, чего там у тебя натворили Верещагины?

— Лопушины, — поправил его Данилов. — Началось все с их визита в местный ЖЭК...

Он подробно рассказал историю со слежкой. Потом про скандалы, которые они постоянно устраивали бедному старику, про украденный якобы у него пистолет, про двойное убийство и третье убийство, которое кто-то тщательно пытался представить как самоубийство.

— А старик-то был левшой, а убийца об этом не знал. И пороха... Следов пороха на его руках не обнаружилось. И череда выстрелов... Убили сначала деда, а потом уже этих двоих.

— Кто под подозрением? Бандитские рожи вряд ли стали бы так на рожон лезть. Так кого подозреваешь, подполковник? — Востриков вытряхнул из коробка спички на стол и принялся строить из них всевозможные геометрические фигуры.

— Сначала в самом деле разрабатывали ребят Степки Мазилы. Они так экстренно куда-то смотались. Потом под подозрение попал жених внучки. И на камере он засветился в день убийства, и за пару дней до него. Мог запросто пистолет у деда забрать и потом из него...

— Входил в подъезд, выбегал из него. Прямо по времени?

— Да нет, он в соседний подъезд входил несколько раз. И из него же и выходил. В день убийства тоже. Правда... правда, спустя какое-то время после выстрелов.

— Что же, он дурак, что ли?! — изумился Вос-триков. — На чердаке, что ли, сидел и ждал, когда за ним придут? А еще кто в тот день в подъезд входил?

— Никого чужого. Никого!

— Н-да... Думаете, жених убил деда, чтобы наследство его невесте поскорее досталось? Говоришь, дед его не особо жаловал?

— Да, там у них еще на фирме всякие разные дела творились.

Данилов рассказал про кражу диска с информацией и про отравление. И про то, что, скорее всего, жених внучки, пустившись во все тяжкие, перешагнул из-за долгов и эту черту.

— Ну-у, тогда она должна быть с ним в сговоре, — протянул Востриков и, заметив, как поджал губы Данилов, закончил: — Но ты ведь, подполковник, так не думаешь, верно?

— Нет.

— А еще как думаешь? Или думал?

— Поначалу думал, что все это — кража информации, отравление, убийства — дело рук разных людей. Додумался даже до того, что руководительница фирмы Соседова Алла Юрьевна сама подсыпала яд в свой кофейник, чтобы под шумок избавиться от своего главного бухгалтера. Но потом...

— А что потом?

— Потом, когда Горячев засветился, входящим в соседний подъезд в день убийства, я начал думать иначе. Начал думать, что все это его рук дело. Он крал информацию. Когда подумал, что его вычислили, попытался избавиться от главной обвинительницы — Соседовой. Потом долги... Он решается убрать деда, чтобы завладеть квартирой и...

— Нелепо, не находишь? — перебил его Востриков и сгреб указательным пальцем три треугольника из спичек.

— Нахожу. Потому и послал сейчас своего помощника следить за ней.

— За внучкой? — хитро улыбнулся Востриков и начал мастерить четыре спичечных квадрата.

— За Соседовой. Что-то не нравится мне их внезапно возникшая любовь с Горячевым.

— Почему?

— Такое ощущение, что они что-то знают друг о друге и знают, что знают. И через постель пытаются друг друга контролировать. А заодно контролировать и информацию, которой обладает каждый.

— Запросто. — Востриков вдруг сложил спички большой буквой «л». Ткнул пальцем в нее: — Но как в схему убийства вписываются эти двое?

— Ну-у... — Данилов надул щеки, с шумом выдохнул. — Нужно было как-то объяснить самоубийство старика. Мол, пострелял соседей и от безысходности...

— Ты сам себя слышишь, подполковник? — перебил его со скептической ухмылкой Востриков. — Зачем так накручивать? Нужно было убить старика, так столкнули бы с лестницы, выпихнули за бордюрный камень на светофоре. Я не знаю... Утопили бы в ванне, в конце концов. Повесили бы, и еще записочку бы написали, что, мол, устал от жизни и все такое. Не-ет, подполковник. Думаю, убить хотели именно их!

Его палец со злостью смешал перекладины большой буквы «л». Востриков нахмурился, какое-то время рассматривал спичечный хаос на столе, потом произнес:

— Эти двое — страшные люди, подполковник. Страшные! Они столько бед наворотили, пока в нашей клинике работали! Осиротили двух девчонок, упустив их мать-роженицу, кровью та истекла, и все. А Валентина тем временем в подсобке стриглась и красила волосы. Пригласила выездного парикмахера, чтобы скрасить ночное дежурство.

— Доказали?

— Нет, конечно! Это так, кулуарные сплетни. Муж той женщины запил, зимой замерз в сугробе через год. Девчушек по детдомам разбросали. — Он тяжело вздохнул: — До этого еще... Еще одну упустили роженицу. Там вообще дело грязное было. Болтали, что заказ на нее был от свекрови и законного мужа. Будто нагуляла она ребеночка. И вот таким вот садистским образом родственники ей решили отомстить за неверность. Доктора дежурного Валентина опоила, он спал в подсобке, а она... Что уж там она с той бедной бабой сотворила, ей только и известно, но та померла. В страшных муках померла. Долго копал я это дело вот этими вот руками. Очень долго! — Востриков потряс в воздухе растопыренными ладонями. — Так ничего доказать и не смог. Отыскалась какая-то патология у той бедной неверной женщины. Что будто бы ее предупреждали, что последствия могут быть страшными. Справки, гора справок... Врачебные ошибки очень трудно доказуемы, подполковник. Невероятно трудно!

— Так врач будто бы ответил за это дело.

— Да, лишили его права занимать должность. Условное, кажется, было ему наказание. Но человек-то пропал. И как доктор, и как личность. Тоже будто спился. Семья страдала, но будто все у них потом удачно сложилось. Так что... Много бед они натворили, эти Верещагины, поменявшие потом фамилию, очень много.

— Думаете, убили их с целью отомстить?

Востриков думал не больше минуты, поднял на Данилова тяжелый взгляд, кивнул:

— Да, думаю, убить хотели именно их, Сережа. А дед... Дед пошел как расходный материал. Может, догадался, кто его пистолет украл. Может, как эпизод в том замысловатом сценарии. Но, думаю, убивать шли именно Лопушиных!

Данилов впервые выдохнул с облегчением. Если так, то Саша Воронцова вне подозрений. И Горячеву незачем убивать супругов Лопушиных. Он их и знать наверняка не знал. Тогда кто?

— Кто мог желать им смерти, Евгений Евгеньевич?

— Не знаю, — с хрустом пожевал малосольный огурец Востриков, швырнул на ломоть хлеба тонкую полоску сала с прослойкой, обильно смазал сверху горчицей, откусил, забубнил с набитым ртом: — Они ведь многим насолили. Может, и еще где засветились? А то, что вел я... Так времени-то сколько прошло! Понимаю, что месть — это блюдо, которое подают холодным, но за такое время оно должно бы уже в глыбу льда превратиться, перемерзнув. Но ты все равно проверь по своим каналам тех девчонок.

— Сирот?

— Так точно, подполковник. Фамилия их была Горобцовы. Про одну не знаю ничего, а вторая часто в сводках светилась, пока я работал. То сбежит, украдет, то украдет и напьется и снова сбежит из детского дома, то драку устроит, то глаз кому-то выбьет, то покусает кого-то. Директриса вешалась от нее просто! Но жалела. Не отправляла в колонию. Что с ней, с этой Наденькой Горобцовой, теперь, кто знает? Тебе надо, подполковник, с директрисой детского дома поговорить.

— Она до сих пор там работает?

— А то! Баба крепкая, хотя и в годах. Сейчас-то тебе эта фамилия не встречалась, нет?

— Горобцова? Надежда?

— Да.

— Не помню... Кажется, ничего такого не было.

— Может, остепенилась все-таки, угомонилась? — предположил Востриков с грустью. — Тюрьма-то по ней плакала просто, подполковник. Дурная девка была. Ты это, давай налегай на рыбку-то, налегай. Мне-то все равно не съесть столько.

— Завтра доедите.

— О-о, завтра! — фыркнул Востриков и начал рассовывать по пакетам жареную рыбу и сало. — Завтра день будет и пища будет, подполковник. Завтра я еще наловлю на жареху. На вот тебе с собой. Дома-то готовить некому. По себе знаю, как тоскливо в пустой холодильник морду совать, н-да...

Данилов начал собираться, хотя глаза слипались, и он бы с великой радостью завалился бы сейчас на востриковский диван с грудой цветных маленьких подушек, стоящий вдоль окна. И заснул бы крепким-крепким сном под треск поленьев в печке. Евгений Евгеньевич уже притапливал, ночи стали холодными. А утром, с удовольствием позавтракав вчерашней рыбкой, отправился бы в путь.

Но нельзя! Связи нет. Вдруг у Мишина там что-нибудь случилось? Вдруг его личные подозрения насчет Соседовой оправданы? Хотя Мишин сейчас наверняка пузыри пускает, уснув в служебной «девятке». Соседова с Горячевым уснули, и он под шумок.

С Востриковым тепло простились. Сергей выехал со двора, обнесенного самодельным плетнем, включил дальний свет и поехал. И как только поднялся чуть повыше, выбравшись из котлована, в котором пристроилась крохотная деревушка, облюбованная Востриковым, так начали приходить сообщения.

Мишин звонил ему тридцать семь раз! Точно что-то стряслось! Только бы не наломал дров его молодой сотрудник!

Данилов ткнул в кнопку вызова, непозволительно долго ждал, когда Мишин ему ответит. Тут же подумал, что тот точно спит. И частые звонки объяснение лишь тому, что Игорек желал отпроситься. Но голос Игоря, ответившего лишь с третьей попытки, оказался на редкость бодрым, свежим и будто бы вдохновленным. Успехом или чем?

— Чего звонил? — буркнул Данилов.

Глаза предательски слипались, сводя на нет все усилия фар, дорога казалась черной, вязкой, узкой лентой, на которой странным образом умещались еще и встречные машины.

— Товарищ подполковник, тут такое! — взвыл Мишин молодым щенком.

— Какое? — Данилов так устал, что его даже восторженное повизгивание Игорька не проняло. Но все же он нашел в себе силы предположить то, что давно вынашивал в голове. — Соседова призналась, что это она подсыпала яд себе в кофейник?

Последовала такая продолжительная пауза, что Данилов перепугался, что задремал и прослушал ответ. Тряхнул головой и крикнул в телефон:

— Игорь!

— Да, товарищ подполковник.

— Чего молчишь?

— Так это... Как вы догадались, что это она отравительница? — скуксившимся простуженным голосом спросил Мишин. — Давно? И молчали!

— Ничего не давно, — соврал Данилов. — Только что. Раз ты, наблюдая за ней, позвонил мне столько раз, значит, случилось что-то на редкость важное. Не из-за их же любовных игрищ ты решил меня побеспокоить?

— Нет, не из-за них. — Игорек протяжно вздохнул, пережевывая обиду: начальник все же не доверяет ему, раз не пояснил причину слежки, но потом встрепенулся: — А я жизнь человеку спас, вот!

— Иди ты! — удивился Данилов, таращa глаза, чтобы они наблюдали за дорогой, тогда как мозг полностью переключился на доклад Мишина. — И кому же? Заломову?

— Заломова вы, товарищ подполковник, от тюрьмы спасли, велев мне наблюдать за Соседовой. Горячеву я жизнь спас. Вот!

— Красавец, — вяло улыбнулся Данилов.

Он вдруг подумал, что, если Горячев будет полностью оправдан и все его грехи будут заключаться лишь в том, что он крал секретную информацию у своих работодателей и играл в казино, ничто не помешает Саше Воронцовой начать смотреть в его сторону благосклонно. А ему ничто не помешает повторить свое предложение.

— Так что там у тебя конкретно случилось, Игорек?

— Значит, так...

Игорек набрал полную грудь воздуха и начал рассказывать. И словно невидимой рукой разогнал всю дрему с Данилова. Нет, он, конечно, подозревал Соседову с некоторых пор, но чтобы все было именно так!

— Ты хочешь сказать, что Горячев месяц назад установил в ее кабинете камеру слежения и наблюдал из своего кабинета за всем, что происходило у Соседовой?

— Да! После того как его неудавшаяся попытка выкрасть диск с информацией сорвалась, он пошел на крайний шаг и... влепил камеру прямо над ее головой в светильник.

— Как он сумел?!

— Софья его впустила однажды, когда Соседовой не было, та была в отъезде. А ему будто бы понадобились срочно документы, что он оставлял на подпись у нее на столе. Секретарша как раз красила ногти. И позволила ему самому посмотреть. Он и влепил камеру.

— И увидел потом, как она сыплет яд в кофейник?!

— Нет, он заранее увидел, еще до совещания, что она что-то сыплет. Не понял что. Подумал, сахар. Но когда чашка с кофе пошла по кругу после совещания, решил не рисковать. Хотя хотел пригубить. А потом, когда все так трагически сложилось, все понял. И...

— Начал ее шантажировать?

— Не совсем! Она начала первая, узнала, что он игрок. Непросто же так собирала о каждом информацию долгое время. Догадывалась, что ему могут быть нужны деньги, догадывалась, кто подсунул диск в сумку Воронцовой, проследила за ним. И однажды просто приперла его фактами к стенке. Ты, говорит, крыса?

— А он что?

— А он ей в ответ: я никого хотя бы не убивал, и крал не я, а Савельев. Он и камеру установил у вас в кабинете. Я, мол, ни при чем, а вот вы... И понеслось! Короче, они держали друг друга за жабры, товарищ подполковник. И если Горячев ничего, кроме карьеры, потерять не мог, то Соседова...

— Могла сесть!

— Совершенно точно.

— А дальше что? Сегодня-то что стряслось? Что-то же стряслось после моего ухода?

— Да, она позвонила Горячеву и отправила его в свой загородный дом.

— Это я знаю, там они целовались в губы, — передразнил его Данилов. — И что? Чем закончился затяжной поцелуй?

— Она его отравила, Сергей Игнатьевич! — выпалил Игорек Мишин странно вибрирующим от волнения голосом. — Вернее, попыталась отравить.

— А ты его спас?! — ахнул Данилов и остановился все же на обочине, включив аварийки.

Спать уже не хотелось. Но вести машину в напряженном потоке и слушать доклад Мишина, который менял полностью весь ход следствия, было невозможно. Он точно какой-нибудь столб обнимет капотом или дерево.

— Да, Сергей Игнатьевич. Хоть и на то не было вами дано никаких указаний, — повинился Игорек. Но тут же встрепенулся: — И вовремя! Его успели спасти, промыли желудок, капельницы там всякие поставили, все подряд. Сок еще сыграл свою роль, смягчил действие яда. Горячев уже лопочет в полную силу, товарищ подполковник!

— Ай да Игорек! Ай да молодец! Но как мы ее припрем? Одного его заверения мало. Любой адвокат скажет, что налицо оговор и все такое. Установят, что он игрок, что крал информацию. Лицо ненадежное для обвинительных речей. Есть что-то, кроме твоих фотографий, а?

— Есть! Есть! Еще как есть! — снова взвизгнул радостно Мишин. — Она, Соседова, малость перемудрила: она узнала, что Заломов приезжал к Горячеву, что они поспорили, повздорили, и на ходу решила использовать этот факт. Она сыплет яд в сок Горячеву, собирается, уезжает с дачи, выжидает в каком-то придорожном кафе. В каком именно — выясняем, потом едет обратно и метров за сто до своего участка звонит в полицию и сообщает, что нашла в своем доме труп своего любовника, по виду отравление. Он, мол, в луже блевотины лежит, и что она даже знает, кто его отравить мог. Он ей якобы звонил и рассказывал, что к нему приезжал их главный бухгалтер, они ругались и... пили сок.

— Поторопилась, да?

— Конечно! Горячева к тому моменту уже увезли на «Скорой». Заломова взяли под стражу, хотя у него алиби стопроцентное. Прямо с дачного поселка он поехал в ресторан и надрался там до слюней. Хотя в его машине, в салоне, и нашли упаковку с ядом.

— Соседова?

— Видимо, пока не знаем.

— Так что там Алла Юрьевна? Как отреагировала, не обнаружив трупа любовника в собственной кухне?

— Бесновалась, Сергей Игнатьевич! Выла, орала и буквально рвала на себе волосы!

— Где она теперь? Надеюсь, под арестом?

— Так точно, товарищ полковник! Она арестована до выяснения. Мы ее приняли. Я же вызвал еще и наряд, когда вызывал «Скорую». Но желает говорить только с вами. Я вообще-то еще в отделе, Сергей Игнатьевич. Только-только освободился от всех бумажных дел. Будете с ней сейчас говорить?

— Утром... утром, Игорек. Подождет наша леди Макбет до утра.

Но все равно свернул к отделу, не выдержал. Отоспится, время придет. Вот выйдет на пенсию, как Востриков. Уедет куда-нибудь в глушь, где мобильник не доступен. Станет удить рыбу, солить сало, мариновать огурцы и ждать в гости редких визитеров, чтобы поделиться с ними накопленным опытом.

Неужели он так и останется один?

Неожиданная мысль, посетившая его где-то между съездом с проспекта и выездом на брусчатку, опечалила.

Он не хотел быть один! Не хотел, как Востриков, комкать кухонные полотенца и чисто по-мужски рассовывать их комками по ящикам стола, не хотел носить свитера с наметившимися прорехами на локтях, не хотел ронять пепел где попало, зная, что за это не попадет. Пусть на него ворчат, пусть отнимают полотенца и складывают их как положено. А что касается пепла... Так он и не курит вовсе.

— Я так и знал, что вы приедете! — встретил его возбужденный Игорек Мишин на пороге кабинета.

— Знал он! Все хоть нормально? По документам? Зафиксировано, как положено? — начал с ворчания Данилов, дождался положительного ответа и тут же похвалил: — Молодец, Игорек!

— Это вы молодец, Сергей Игнатьевич! — Веснушчатое лицо Мишина расплылось в улыбке. — А как вы догадались, что Соседова замешана?

— Я не догадался, я подозревал. Слабенькое такое было подозрение. Вот настолечко, — Данилов раздвинул большой и указательный пальцы сантиметра на три. — Но было. А когда я узнал, что при слиянии двух компаний Соседову намерены поменять на Заломова...

— То есть? — не понял Игорек.

— Акционеры выдвинули обязательное и непременное условие, чтобы руководителем компании после слияния стал мужик, и указали на Заломова. То ли связи у него в той компании какие, то ли просто его опыт был нужен и важен. По слухам, мужик-то грамотный очень. Опыта не занимать. Гадкий, правда... — тут же вспомнил Сергей, как

Заломов ругал на все лады Сашу Воронцову, обвиняя ее в сговоре с Горячевым.

— И Соседова об этом не могла не знать.

— Конечно! Ей так и сказали, если Заломов откажется, тогда, конечно, Алла Юрьевна, останетесь вы в своем кресле. А так... лишь роль исполнительного директора.

— А она, зная, что Заломов ни за что не откажется, — затараторил Мишин, обводя пустой коридор — они так и стояли на пороге кабинета — заполошным взглядом, — решается на крайнюю меру?

— Да! — подхватил Данилов, но тут же решил, что гнать лошадей еще очень рано, и сбавил пыл. — Я так думаю... Ты вот что, Игорек, давай-ка домой. Я тут сам разберусь с Соседовой. А тебе отдохнуть надо. Глазищи красные, зеваешь без конца.

— Это я от волнения, — покраснел Мишин и снова широко зевнул. — И от напряжения. Фотоаппарат в сейфе у меня, если понадобится.

— Фотоаппаратом утром пусть кто нужно занимается. Мне Соседова сейчас нужна. Ох, как хочу я с ней побеседовать...

Комната для допросов была просто кубом, обитым фанерой под дерево. Без окон, с одной дверью. В центре допросной стоял обшарпанный, исцарапанный стол. По обе стороны от него два стула. Один тяжелый, деревянный — для допрашиваемого, второй — удобный, с мягкой спинкой — для допрашивающего.

— Присаживайтесь, Алла Юрьевна, — Данилов неожиданно указал ей на стул с мягкой удобной спинкой, а сам сел напротив, приказал дежурному: — Наручники снимите с нее. Спасибо...

Алла Юрьевна великолепно держалась, отметил он тут же про себя. Если бы не спутавшиеся пряди испорченной прически, не измявшаяся канареечного цвета блузка и юбка в пятнах, приобретенных, видимо, уже в камере, никто бы не сказал, что женщина испытывает глубокое душевное потрясение. Взгляд ее по-прежнему оставался властным, подбородок держался высоко. Пальцы, которые она тут же сплела в замок, уложив их на обшарпанный стол привычным начальствующим жестом, не дрожали.

— Хорошо держитесь, Алла Юрьевна, — похвалил ее Данилов с ядовитой ухмылкой. — Похвально.

Она промолчала, не поменяла позы и взгляда.

— Вам предъявили обвинение?

Молчание.

— Вы знаете, за что задержаны?

Молчание.

— Хорошо, тогда я вам скажу. — Взгляд Данилова сделался холодным и колючим. — Вас подозревают в покушении на убийство гражданина Горячева.

— Чушь! — зло выплюнула, даже не сказала она.

— А также в убийстве, возможно и непреднамеренном, еще двух человек. Савельев Геннадий Степанович и ваша секретарша Софья были отравлены ядом, который вы подсыпали в кофе, в ваш кофе.

— Чушь! — уже менее уверенно, но так же зло выпалила Соседова.

— Ах, Алла Юрьевна, Алла Юрьевна! Ну что вы в самом деле упорствуете? Нам же с вами прекрасно известно, что все было именно так.

— Доказать сможете? — Ее посиневшие от гнева губы разъехались в разные стороны, видимо, она попыталась улыбнуться.

— А как же! Столько доказательств у нас, наверное, еще ни по одному делу не было! Слава богу, Горячев жив!

— Он жив?! — удивленно воскликнула она. Лицо ее исказила гримаса отвращения, боли и страха.

— Да, он жив. Вы поторопились вызвать сотрудников полиции. Надо было доехать до дома, убедиться, что отравленный вами любовник в самом деле валяется в луже собственных рвотных масс. А вы что же сделали? Эх, Алла Юрьевна, Алла Юрьевна, излишняя самонадеянность, она ведь до хорошего не доводит, так ведь?

Она промолчала, впервые опустив голову.

— Видимо, вы так долго занимали кресло руководителя, так долго властвовали над людьми, так привыкли к их беспрекословному подчинению, что перестали быть осторожной. Так?

— Нет, не так, — хриплым голосом отозвалась она, расплела пальцы. Они чуть подрагивали, когда погладили драную поверхность стола. — Просто... просто не хотела долго находиться возле Сашкиного трупа. Думаю, пока полиция доедет, я с ума сойду от ужаса.

— Когда яд ему насыпали куда? В яблочный сок?

— Да, — кивнула она едва заметно.

— Страшно вам не было? А вот находиться подле творения рук ваших — это страшно! Как-то нелогично. И цинично даже, я бы сказал!

Данилову стала противна эта крупная тетка в изляпанных мятых одеждах, изо всех сил старающаяся теперь вызвать в нем сочувствие. Он не мог сочувствовать ее безжалостной душе, погубившей двух невинных человек и собирающейся погубить третьего. Не мог восхищаться ее холодным разумом. И уж, конечно, не мог ее жалеть.

— Знаете, я вам не верю. Думаю, что вы просто привыкли все делать быстро и решительно. Вы не привыкли тратить время и терять его на ожидание полиции сочли неприемлемым. Пока-то они доедут!.. Утром ведь рано вставать. Не так ли, Алла Юрьевна? Надо было быстро все провернуть — убрать Горячева якобы руками Заломова. Он ведь засветился, Заломов-то, приехав в поселок на встречу с Горячевым? Засветился. В машине его найден пакетик с ядом? Найден. Когда вы подсунули ему пакетик? До или после?

Она промолчала.

— Вам надо было все сделать быстро. И со спокойной душой, с чувством выполненного долга лечь спать. А утром доложить вашим партнерам, не желающим видеть вас в кресле руководителя после слияния, что кандидатура Заломова не может быть утверждена. Он где? Правильно! Под следствием! По подозрению в убийстве вашего юриста. Да и кажется, зама и секретаршу тоже он отравил... Как цинично, Алла Юрьевна! Как безжалостно... Вы же женщина!

Она так резко вскинула голову, что в спине у нее что-то щелкнуло. Данилов отчетливо услышал щелчок. Ее сузившиеся глаза совершенно потонули в пышных морщинах. Лицо превратилось в одутловатую сизую маску.

— Женщина? — просипела она, и пальцы ее сжались в крепкие кулаки. — Женщина? А кто, кто и когда видел во мне женщину? Кто? Отвечу вам, гражданин следователь: никто и никогда! Руководитель, надзиратель, денежный мешок, мегера! Все, что угодно, но не женщина! Я понимала, я не красавица. Но таких, как я, много! Почему же? Почему?! Почему у них есть мужья, дети? Почему я была лишена всего этого?!

Данилов по-прежнему не сочувствовал. Он вот тоже одинок, хотя далеко не урод. Как раз наоборот, женщинам он нравится. И Мишин Игорек ему даже немного завидует, но он одинок даже при всех своих достоинствах. И от этого не стал гадким и опасным. Он, во всяком случае, на это надеется.

— Женщина... Я не просто любила Васю... Я обожала его, боготворила его! — вдруг произнесла Соседова, широко распахнув глаза и взглянув на Данилова с болью. — Я долгие годы работала с ним бок о бок, и никто, даже он, не подозревал, что я его люблю! Сильно... Безнадежно... Но меня утешало, что у него семья. Что я не имею права. И тут вдруг...

— Он бросает свою жену в угоду молодой девчонке? — подсказал Данилов.

— Да! Он бросает жену, с которой прожил долгие годы, и сходится с этой дрянью! — стиснула зубы Соседова. — Мало этого, наши партнеры вдруг возжелали видеть в кресле генерального именно его! Пунктик у них насчет бабы руководителя, видите ли! Вот если, говорят, он откажется, тогда уж...

Мощная грудная клетка Соседовой ходила ходуном. Желтый шелк вдувался и опадал. Речь была проникновенной, страстной, но глаза странно оставались сухими и жесткими.

— И тогда вы решили, что должны избавиться от него, так?

— Ой, ну зачем так? — сморщила она лицо-маску. — Я решила в какой-то момент, что время для мести идеально и... и сотворила то, что сотворила.

— Для мести? Вы хотите сказать, что мстили ему? — Данилов недоверчиво покрутил головой. — Не расчищали себе дорогу на пути к успеху, а мстили чисто по-бабски?!

— Ну да, а как? — Она жалко улыбнулась, видимо, снова призывая его к сочувствию.

— Да ни фига не так! — взорвался Данилов — ужимки этой бабы доводили его до бешенства.

Она не могла любить и никого не любила! Уязвленное самолюбие — это да. Ускользающая из рук власть — да. Ненависть к более удачливому и более умному Заломову, неожиданно начавшему обходить ее в карьерном забеге, — тоже да. Но не любовь! Не было даже намека!

— Просто ваша задница, гражданка Соседова, испугалась потери руководящего кресла! Вам сделалось так жутко, что вы готовы были на все ради сохранения этого кресла под собой! А тут еще возня с кражей информации. Ваши потенциальные партнеры озаботились. И снова решили, что в этом ваша вина. Баба не может удержать вожжи! — предположил Данилов и по тому, как судорожно дернулись широкие плечи Соседовой, понял, что попал в точку. — Вы начали рыть носом, искать, опустились даже до незаконного обыска личных вещей сотрудников. Нашли девчонку для битья и...

— Хватит! — перебила его властно Соседова, ее голос вновь обрел силу, будто и не разбавлялся хрипотой несколько минут назад. — Не надо держать меня за дуру. Вора я вычислила сразу. Просто наблюдала за ним, подсовывала всякую чушь, не способную нам навредить. Но... но он все равно обошел меня, скот!

— Он, поняв, что сливается всякая фигня, ничего не стоящая, устанавливает в вашем кабинете камеру слежения, прямо над вашей головой, чтобы...

— Чтобы просматривать всю документацию, с которой я работаю, — подхватила со злостью Соседова. — Я вообще перестала всем на свете доверять после всего этого.

Она неопределенно повела руками вокруг себя.

— Он увидел, как вы сыплете яд в кофейник. Сначала не понял, что это было. А когда погибли Софья и Савельев, догадался, кто отравитель, — кивнул Данилов и неожиданно похвалил ее с сатанинской ухмылкой: — А вы виртуозно все придумали, Алла Юрьевна. Все совещание нагнетали атмосферу, угрожали вору, демонстрируя папку, в которой якобы были документы, компрометирующие его. А потом, когда погибли от яда ваши сотрудники, выставили ситуацию так, что это будто бы вас хотели отравить. Грамотно!

— Да, все было продумано идеально, за исключением...

— За исключением того, что вор знал, что в папке у вас ничего нет. Горячев наблюдал за вами до совещания, и видел, что вы вкладываете в папку чистый листок бумаги. И еще прокол. Отравленный кофе выпил не тот, кому он предназначался.

— Да! Да! Вот что обидно больше всего! Генка и Софья погибли из-за этого старого, лысого козла! — взвизгнула на высокой ноте Соседова, закрывая лицо руками. — Он же всегда, всегда пил мой кофе! На каждом совещании он хлебал из моей чашки! Это у него чем-то вроде ритуала было! Он и в тот вечер собирался, а тут вдруг Генка, дурачок, выхватил у него чашку. Господи, кто же знал, что так будет?!

— Вы, — коротко обронил Данилов, встал с неудобного стула, прошелся по допросной, зачем-то потыкал кулаками в стены, обитые фанерой под дерево. Обернулся на Соседову: — Вы знали, что Савельев отравится. И тем не менее позволили ему кофе выпить. Что решили в тот момент, Алла Юрьевна? Что если не получилось отравить Заломова, то вы его хотя бы под статью подведете? И не позволите кресло свое занять?

Она промолчала, сгорбив спину.

— Налицо злой умысел, Алла Юрьевна. Прокурор так и решит.

— Но я не знала, что Софья выпьет, не знала! Не знала! — вдруг заорала не своим голосом Соседова. И, упав лицом в сложенные на столе руки, глухо зарыдала. — Я не хотела... Девочка была ни при чем... Она... она не виновата.

— А Савельев просто был списан в интересах вашей преступной комбинации, — констатировал Сергей кивком. — А что потом, Алла Юрьевна? Что заставило вас сойтись на короткой ноге с Горячевым? Он начал вас шантажировать?

— Да. — Она затихла, крупная спина дрогнула от тяжелого вздоха. Соседова выпрямилась, отвела от лица прилипшие мокрые пряди волос. — Когда я ему намекнула, что знаю о его проделках... Он просто положил мне на стол запись того вечера и вышел. Я ему позвонила через час. Спросила, чего ты хочешь? Он ответил: давайте дружить. Ну и начали дружить. Я делала вид, что ничего не происходит. Я смотрела сквозь пальцы на то, как он сливает секреты Барышникову. Та еще сволочь! Работает на всех подряд, лишь бы деньги платили! А Горячев в знак благодарности за мою слепоту спал со мной и... не заявлял о том, что видел.

— Но вы-то понимали, что это не могло долго продолжаться?

— Да, понимала.

— И заранее все продумали?

— Нет. Сегодня — это экспромт, не более. — Она цинично оскалилась, одернула безнадежно испорченную блузку. — Все как-то сложилось так удачно. Заломов был у вас в полиции, это, опять же, меня подстегнуло. Горячева начали пасти, вот я и решила этих двоих ребят замкнуть друг на друге. Кто же знал, что...

— Что к вам приставлено наблюдение? Кто знал, что каждый ваш шаг фиксируется на камеру. Так?

— Да, так, — Соседова вздохнула будто бы покаянно. Но вдруг тут же подняла вверх указательный палец и глянула на Данилова, как на менеджера самого низшего звена своей конторы. — Но вы не особо радуйтесь, подполковник. Я найму лучших адвокатов, лучших! И отравление в офисе, как умышленное убийство, у вас не пройдет.

— Но записи Горячева, — возразил Сергей, он даже растерялся от такого резкого перехода. — Там отчетливо видно, что...

— Что я сыплю яд в свой кофейник. Где находился кофе, предназначенный мне. Это был мой кофе, который я должна была выпить.

— Но не выпили же!

— Потому что не успела, меня отвлекли. Сочтем это неудавшейся попыткой суицида. — Она холодно ухмыльнулась, возвращая былую уверенность. — Я хотела умереть, я! Но меня отвлекли!

— Но погибли люди. Вы могли их остановить! — Он с ужасом понимал, что эта хитрая стерва, выставив впереди себя адвокатский строй, сможет выкрутиться. Запросто сможет.

— Это был несчастный случай, подполковник. Несчастный случай! Кто-то выпил отравленный кофе, который предназначался мне. Кто-то сунул голову в мою петлю. Так-то...

— Но у нас есть снимки, на которых видно, как вы...

— Что?

Она вдруг вальяжно откинулась на мягкую спинку удобного стула, которую он так легкомысленно ей предложил. Закинула нога на ногу, обнажая полные икры, обтянутые черными плотными колготками. Глянула на него с высокомерием победительницы:

— Что видно, подполковник? Как я готовлю сок своему любовнику? А потом уезжаю?

Теперь промолчал Данилов. Он еще и снимков-то не видел. Что может возразить?

— Вам чертовски сложно будет доказать хоть что-то, подполковник. Чертовски сложно! А если еще и Горячев, который жив и вскоре будет совершенно здоров, изменит свои показания и не будет иметь ко мне претензий, то у вас просто не будет шансов. Нет шансов отправить меня за решетку, подполковник!

Наглая баба, широко раскинув руки, расхохоталась...

Он не поехал домой. А смысл? Полчаса туда, полчаса обратно, два часа на сон? И что это за сон? Беспокойное метание от тревожных мыслей о расследовании и страха проспать сигнал будильника? Нет уж, лучше он в кабинете как-нибудь.

Поставив все имеющиеся у них в кабинете стулья вдоль стены, Данилов нашел в шкафу надувную подушку, которую когда-то принес на дежурство Игорек Мишин, да так и оставил. Надул ее, улегся с третьей попытки — стулья скрипели, разъезжались, упирались чем-то жестким ему в бок. Наконец пристроился и, кажется, только закрыл глаза, как в плечо его толкнули.

— Сергей Игнатьевич, — над ним склонилось веснушчатое лицо Мишина. — Вы в порядке?

— Ох, Игорек, ты?

Данилов заворочался, попытался повернуться и тут же упал бы на пол, не подхвати его помощник. Тряхнул головой и, протерев глаза, спросил:

— Который час?

— Почти девять. За кофе сходить?

За кофе он мог сходить только через дорогу. Там варили сносный кофе, пекли вкусные пирожные.

И лепили те самые горячие бутерброды, которые Данилову в последнее время всегда доставались уже остывшими.

— Да, кофе, — закивал Сергей, шаря по карманам в поисках денег. Достал три сотни: — И поесть что-нибудь купи, и минералки. Да, и Заломова приведи в допросную, и быстрее, Игорек, быстрее.

Мишин прибежал обратно через пятнадцать минут, виновато что-то пробормотав про очередь. Поставил три стакана кофе перед Даниловым, положил большой термопакет с горячим бутербродом, поставил минералку.

Сергей разорвал упаковку и вонзил зубы в горячий хлеб, под которым угадывались кусок куриного филе, лист салата, помидор и что-то еще невероятно вкусное и ароматное, съел все мгновенно, вытерся салфетками, скомкал всю бумагу, выбросил в мусорку, выпил сразу два стаканчика кофе, сходил умылся в туалете, прополоскал рот. Вернувшись, выпил последний стакан кофе и вдруг вспомнил, что у него в багажнике целый пакет жареной рыбки и сало еще. Ладно, решил он, это будет ему на ужин.

Схватив бутылку минералки, он засобирался в допросную. Мишина в кабинете не было, куда-то исчез. Судя по чехлу от фотоаппарата, брошенному на столе, умчался Игорь распечатывать фотографии вчерашнего наблюдения.

Данилов запер кабинет и отправился в допросную.

Заломов уже сидел на неудобном стуле и трясся всем телом. Он был стар и жалок в мятых светлых штанах, так не вязавшихся с его теплым твидовым пиджаком. Грязные редкие волосы всклокочены, белки глаз красные, щеки бледные, обросшие седой щетиной.

— Надеюсь, это похмельный синдром, Василий Васильевич, а не муки совести? — спросил с издевкой Данилов, ставя перед бедным, трясущимся бухгалтером минералку. — Пейте.

— Спасибо! — ахнул главбух и едва не прослезился от такой заботы. Прошептал, выпив все до капли: — Не ожидал, если честно...

— Ладно, мы же не звери, — хмыкнул Сергей, сел на стул с удобной спинкой, глянул на Заломова взглядом, внушающим надежду. — У меня к вам лишь несколько вопросов, Василий Васильевич. Отвечаете честно и без запинки — и отправляетесь сразу же домой.

— Почему домой?! — вздрогнул он. — Разве я уволен?! Мне на работу надо!

— Мне без разницы, куда вы отправитесь. Домой или на работу. Мне важно, чтобы вы ответили честно.

— Готов! — Заломов расправил плечи, насколько смог при таком плачевном физическом состоянии, сел прямо, глянул открыто: — Спрашивайте!

— Вы всегда пили кофе после совещаний из чашки Соседовой? Быстро! Честно! — прикрикнул Данилов.

— Да! — вздрогнул Заломов от такого напора.

— Каждое совещание?

— Правильнее, после каждого совещания. Как только все выходили, я оставался с кем-то, кому она велела, иногда один. И всегда хлебал из ее чашки. Что-то вроде ритуала, знаете.

— Хорошо... Почему в тот вечер не стали пить?

— Так хотел! Чашку уже схватил! А Генка выхватил! Как черт его подначил, простите... — Заломов сморщил лицо, будто намеревался заплакать, но не заплакал. — А я не стал настаивать. У меня мысли в тот момент были другим заняты. Я все думал: ну кто же это, кто?! На кого она намекает, тыча пальцем в папку?!

— Когда стало известно, что при слиянии двух компаний Соседову не захотят видеть в кресле генерального?

Заломов вздрогнул, подобрался, глянул испуганно:

— Так это... Совсем недавно и стало известно. Она мне сама и сказала, вызвав к себе. Шипела, как гадина, что я ей всю жизнь испортил. Или что-то типа того. Понимаете... — Заломов сложил на груди ладони, покрытые старческими пигментными пятнами. — У меня не было причин желать ей зла. Я... я обыгрывал ее при любом раскладе! Это ей я мешал. А мне...

— Вы ездили вчера в ее загородный дом, Василий Васильевич? — перебил его Данилов и снова повысил голос: — Честно! Быстро!

— Да, — вздрогнул Заломов.

— Зачем?

— Она позвала, позвонила и велела приехать, поговорить. Я приехал, а там этот... с позволения сказать, юрист! — скривился Василий Васильевич, как от зубной боли. — Хозяйничает! Я подозревал, что у них отношения, а тут удостоверился. С ума сойти! После Воронцовой с этой...

Напоминание, что у Горячева были отношения с Воронцовой и что не так давно Заломов призывал подозревать ее в соучастии, Данилова разозлило.

— Что вы там делали? — жестким голосом перебил он главбуха.

— Ничего, — пожал тот плечами. — Я позвонил в дверь, он открыл, начал хамить. Я спросил, где Соседова. Он буквально послал меня. Говорит, не твое, мол, дело. Я и уехал.

— Яд вы ему в сок не добавляли?

— Яд? Что? Какой яд? — Заломов аж ноги подобрал с пола, будто тот занялся адским пламенем. — Вы о чем?! Какой яд?!

— Который был обнаружен в вашей машине, Василий Васильевич! При обыске был найден пакетик с тем самым ядом, которым были отравлены Савельев, секретарша Соня и Горячев. Как такое возможно?!

Заломов как окаменел, какое-то время сидел с приподнятыми от пола ногами и неестественно выпрямленной спиной. Он не двигался, казалось, что и не дышал даже. Живыми оставались лишь его глаза, судорожно мечущиеся по глухим фанерным стенам.

— Алка, сволочь! — вдруг выдохнул он, кажется, с явным облегчением. Уронил на пол ноги, расслабил спину, сгорбился и вдруг захихикал мелко, не по-взрослому. — А я еще думаю, чего это она вокруг моей машины крутится? Раз подошел к окошку, второй. Она чего-то ходит вокруг и ходит. А она вон что удумала! Улики мне решила подбросить? Любовничка своего выгородить! Тварь, старая мерзкая тварь! Озабоченная дрянь!

Он тяжело задышал, лицо покраснело, покрылось потом. Заломов с сожалением глянул на опустевшую бутылку минералки.

— То есть вы хотите сказать, что яд вам в машину подбросила Соседова?

— А кто еще?!

— Но как это у нее вышло? Вы что же, машину не запираете?

— Зачем?! — изумился он искренне. — У нас охрана. Автомобиль стоит рядом с будкой охранника. Чего ее запирать? Я ключи-то не всякий раз забираю, чтобы не посеять их в бумагах на столе. Случалось уже, всей бухгалтерией искали.

— Охранник видел, как Соседова ходила вокруг вашей машины?

— У него спросите, — огрызнулся Заломов. — Охранник! Он если не видел, так видеорегистратор все записал! Записи с него снимите. Он у меня автономно работает, независимо от включенного мотора.

— Снимем, а он цел? — поинтересовался Данилов, потому что Мишин про видеорегистратор ничего такого не говорил.

— Цел, конечно. Я же потом ездил в дачный поселок и обратно. Цел, работал исправно. Алкато, дура-баба, наверняка не подозревала, что приборчик-то пишет. Думала, дура, что раз машина выключена... Вы проверьте, проверьте, товарищ подполковник!

Проверили, все так. Соседова находилась вчерашним днем возле машины Заломова, и даже удалось рассмотреть что-то похожее на маленький пакет, зажатый в ее руке, упакованной в перчатку.

Сочли это странным, конечно. Чего надевать перчатки, раз вышла на улицу на пять минут. Но...

Но все улики генерал счел косвенными и гневался сильно, угрожая им полным провалом в суде.

— Кто такой Горячев?! — орал генерал. — Игрок! Мот! Вор! Кто поверит его показаниям, что Соседова его хотела отравить?! Сочтут оговором. Она уличила его, он ее оговорил. Все!

— А как же фотографии, товарищ генерал? — возражал Данилов.

— А что на этих фотографиях, Данилов?! Что?! Делает баба сок. Потом поит им своего любовника, потом он падает. Да, может, он ноги ей в тот момент целовал! С чего потом и облевался! Извини... — Генерал внимательно просмотрел еще раз все снимки. — Единственной уликой, стоящей уликой, могу считать ее преждевременный звонок в полицию об обнаружении ею трупа любовника. Все остальное... Ну и еще то, что ее мать работала в химической лаборатории долгие годы и часто брала с собой на работу дочку. Но это все... Пока она не напишет нам явку с повинной, Данилов, сам понимаешь, доказать что-то будет очень сложно. Очень!

— И что же, теперь ее отпускать?!

— Ага! Щ-щас! — злобно зашипел Губин. — Пусть сидит, отравительница! Пусть сидит и думает!

— А Заломова?

— Главбуха, что ли? Этого отпускай. Горячев подтвердил, что не принимал из его рук ничего и сока с ним не распивал. Повздорили и разошлись. Заломов, с его слов, даже в дом не входил. Чего его держать! Кстати... — Генерал глянул на Данилова: — Удалось установить причастность Горячева к тройному убийству?

— Никак нет, товарищ генерал. Отрицает все. Клянется и плачет.

— А какого черта он делал в том доме незадолго до убийства и в день убийства?! — хлопнул ладонью по столу Губин и скосил взгляд на тумбочку в углу, где в верхнем ящике сегодня у него лежало шоколадно-ореховое печенье.

— В том доме, где произошло тройное убийство, в соседнем от места трагедии подъезде живет Барышников, — доложил с большой неохотой Данилов. Очередная версия лопнула мыльным пузырем. — Тот самый, что ссуживал Горячеву деньги и за это требовал информацию, которую перепродавал конкурентам Соседовой. Они встречались на квартире Барышникова, довольно часто встречались. День убийства и предыдущие дни не стали исключением. Вот так...

— И что же теперь? — Генерал подпер щеку кулаком, глянул на Данилова с грустью. — Вешать все на старика? А он не виноват. Как быть-то, подполковник? Найдешь убийцу-то, нет? Что докладывать наверх?

— У меня появилась новая версия, товарищ генерал.

Данилов подробно рассказал, как вчерашним днем Мишин метался по Заславскому району в поисках информации на Лопушиных. Как его метания потом завели уже Данилова в далекую глухую деревеньку к бывшему сотруднику Вострикову, который рассказал много интересного и посоветовал обратиться к директрисе детского дома.

— Месть?! — выкатил глаза генерал, тихо поднялся и мелкими такими шажками двинулся к тумбочке. — Полагаешь, месть?! Но это, Сережа, вообще никуда не годится! Сицилийские какие-то штучки! Прошло много лет, и тут... Плохо верится.

— Проверю. — Данилов, заметив, как генерал достал из верхнего ящика яркую жестяную коробку, поднялся: — Разрешите идти?

— Не разрешаю.

Генерал дирижерским жестом взмахнул ладонью, приказывая ему сидеть, открыл жестяную крышку, втянул носом аромат шоколада, улыбнулся в сторону Данилова:

— Ты понюхай, как славно пахнет, Сережа! Орехово-шоколадное печенье! Это же не печенье — это шедевр! Ты не сильно торопись-то, присаживайся. Щас чаю попьем с тобой, печеников покушаем и подумаем с тобой вместе, как нам эту бабу на скамью подсудимых отправить. Отравительница, елки-палки...

ГЛАВА 17

Ирина Федоровна Устинова, заслуженный во всех отношениях педагог, много лет своей жизни посвятивший воспитанию чужих детей, своих же не имела. Ей это даже не приходило в голову никогда. Муж был, и не один! Но вот детей она от них остерегалась рожать. Насмотрелась на сирот предостаточно, вдоволь хлебнула их одиночества. Разрывала свое сердце на миллионы крохотных частей, чтобы хватило каждому. Боялась такой доли для своих детей. Потому и осталась одна на старости лет.

Может, зря остерегалась? Может, зря столько сил отдала чужим детям вместо того, чтобы своих обогревать и любить. Много радости она получила от жизни? Много ответной любви? Проблемы, скандалы, залеты...

Господи, да за всю жизнь по пальцам можно пересчитать тех, кто низко поклонился ей до земли в знак благодарности. Большинство, вырываясь в долгожданную свободную жизнь, тут же о ней забывали. Иногда даже и не здоровались при случайной встрече.

Ирина Федоровна с трудом слезла с разложенного на ночь дивана. Старые кости болели, сердце ныло третий день, непогоду чуяло, и в голове было тяжело. Не от боли, нет. От обиды. С прошлой недели ворочались в голове той нехорошие, злые мысли о девчонке одной неблагодарной.

Сколько сил она в нее вложила! Сколько ночей не спала, просиживая у ее постели, когда та болела. А с милицией сколько было из-за нее проблем! С горем пополам окончила она школу, выпорхнула за ворота детского дома. И что? Через полгода села! И кому первому позвонила, когда ее арестовали? Ей, Ирине Федоровне! Кто ей потом передачки носил, когда она под следствием была? Она, Ирина Федоровна. Конечно, когда уже на зону отправили, ее след для Устиновой затерялся. Много лет она о ней ничего не знала. Да и не узнавала, если честно. Не до того было. Новые воспитанники появились, а с ними новые проблемы. И что? Это жизнь, дорогуша! Это же не значит, что она не должна здороваться с директором детского дома при встрече! Морду свою воротить и делать вид, что незнакомы!

— Дрянь неблагодарная, — проворчала Ирина Федоровна, с грохотом швыряя алюминиевый чайник в раковину.

Набрала воды, поставила на огонь, из холодильника достала банку шпрот и масло, нарезала белого хлеба, наделала бутербродов. Любила она шпроты. Страсть как любила. Еще с советских времен, когда этот продукт был дефицитом.

Чайник взвизгнул, выплюнул струю огненного пара. Ирина Федоровна выключила газ, влила кипятку в заварочный чайник, где у нее уже была приготовлена горсть заварки. Уселась к столу на скрипучий стул. Давно надо бы поменять, и деньги есть. Да вот вспоминала она об этом рассохшемся стуле, лишь когда к столу садилась. А это и случалось только за завтраком. Обедала и ужинала она обычно в детском доме.

Она доедала второй бутерброд, когда зазвонил домашний телефон.

Господи! Неужели что в доме случилось?! Она с сожалением отложила бутерброд на тарелку и с кряхтением и оханьем, вразвалочку пошла в прихожую.

— Алло!

— Ирина Федоровна? — Голос был мужским и как будто бы знакомым, но давно его не слышала, точно.

— Да. А кто это?

— Евгений, Евгений Востриков. Помните такого? — Мужик хохотнул: — Старый одинокий мент в отставке. Помните?

— Ох, господи, Женька! — вспомнила она с хохотком. — Тебя, пожалуй, забудешь! Такую рыбалку мне устроил...

И даже намекал ей на отношения, завуалированно так предлагал сойтись. Она отказалась.

— Ну какая из нас семья, Жень? — воскликнула тогда Ирина почти с обидой. — То тебя еще нет, то меня уже нет! Когда нам свои гнезда-то вить, Жень? Мы в чужих с тобой разбираемся всю жизнь...

На том все и закончилось. На рыбалке и на не принуждающем ни к чему сексе.

— Чего звонишь-то, Евгений? Соскучился? Или что? — Ее голос наполнился тревогой.

Не дай бог, что опять ее воспитанники натворили! Она им точно бошки поснимает! Ей вот на старости лет только не хватало с ментами сотрудничать! Вот точно тогда уйдет на покой. Сто процентов уйдет! И к Женьке переедет! Он, по слухам, куда-то за город уехал.

— Болтают, ты за город перебрался? — не дождавшись ответа, спросила Ирина Федоровна.

— Да... Домик купил, рыбачу круглый год, огородик, садик. Не хочешь ко мне сюда перебраться, Ириш?

— Ой, скажешь тоже! — рассмеялась она. — Нашел невесту! Ты мужик еще о-го-го! А я — развалина развалиной, Жень! То кости болят, то сердце прихватывает.

Она могла с ним не кокетничать, нужды не было никогда. Востриков был нормальным и прочным мужиком, на всякие там штучки-дрючки его не возьмешь.

— Думаешь, я молодею, Ир? — невесело рассмеялся он в ответ. — И я дряхлею. А один дряхлею
стремительнее. Может, подумаешь над моим предложением?

— Может, и подумаю, — серьезно отозвалась
Устинова, глянула на себя в зеркало над телефонной полкой и ужаснулась.

Морда пухлая, морщинистая. В байковом халате
поверх ночнушки и в теплых разношенных тапках,
как сноп соломенный. Э-эх, Женя, видно, времена
женихаться кануи в прошлое.

— Я чего звоню-то, Ир... — Востриков взял не-
большую паузу, будто вспоминал. — Помнишь,
у тебя воспитанница была, Горобцова?

— А то! — фыркнула Устинова. — Ее забудешь!

— Так вот... Она ведь к тебе попала после того,
как ее мать померла в роддоме. Так?

— Так, так. А что?

— Там у нее отец оставался, сестра. Так?

— Отец спился и замерз в сугробе. Она уже после этого ко мне попала.

— А сестра?

— Сестру в соседний детский дом отдали. Я на-
стаивала, чтобы сестер не разлучали. Но там, видимо, у попечительского совета на эту девочку сразу
виды были.

— То есть?

— Так удочерили ее через полгода. Надежда потом плакала, все просила меня сестру разыскать. Но
сам знаешь, как сведения об усыновителях хранятся!

— Да... А что с ней стало?

— С кем? — не сразу поняла Устинова. — С се-
строй?

— Да нет, с этой девочкой, Надей?

— Села она через полгода после того, как школу окончила и выпустилась. Лет пять ей, что ли, дали.

— А за что, не помнишь? Хулиганка, кража?

— Ой, Жень, там что-то плохое было. Убийство с грабежом, кажется.

— Ого! А чего пять лет всего дали?

— Так будто на шухере она стояла. Может, так. Может, не сдали ее просто ее дружки. Но когда я ходила к ней на свидания, мне ее настроение не нравилось. Очень озлоблена была девочка. Очень! А ты чего вдруг о ней вспомнил, Жень? Случилось чего? Она что натворила?

— Ой, вот этого не знаю, Ирина. Просто коллега ко мне тут из молодых приезжал за советом. У него на районе произошло тройное убийство. Убили двоих и обставили дело так, будто старик из бывших военных их убил, а потом сам застрелился.

— Ничего себе! — ахнула испуганно Устинова и тут же на дверь входную глянула.

Сколько раз давала себе зарок поменять замки. Те, что имелись, можно было гвоздем открыть. А многие ее воспитанники такими талантами обладали, и желающих сделать ей дерьмо было немало.

— Стали разбираться, ан нет. Старик был левшой, а пистолет его наградной в правую руку вложили, и следов пороха на руках нет. Стало быть, кто-то хотел убить ту пару, а его просто использовали. Я так прямо следователю и сказал. Мое, говорю, такое мнение.

— Ну да... Старика-то можно было и с лестницы столкнуть, — вспомнила себя Ирина Федоровна.

Она всякий раз с великим трудом поднималась к себе на четвертый этаж и с таким же трудом спускалась.

— Вот-вот, Ириша, — обрадованно подхватил Востриков. — Я ему так и сказал, следователю. Со стариком, говорю, и мороки бы не было. Тут хотели этих двоих убрать. Да так обставить, что будто старик их того, убил. Малость ума не хватило все грамотно завершить. А так прокатила бы такая модель запросто. А он мне: а за что их было убивать? Обычные пенсионеры. А я, когда узнал, сказал ему, что необычные те пенсионеры, Ириша. Совсем необычные.

— Кто же они? Не томи, Женька! — прикрикнула на него, как на одного из своих воспитанников, Устинова.

— Верещагины, Ир. Помнишь? Те самые, что...

— Что загубили мать Нади Горобцовой?! — ахнула она и плотнее запахнула на груди байковый халат, так морозом вдарило по всему телу. — Ты теперь думаешь, что это она решила отомстить?!

— Ничего я пока не думаю, — проворчал Востриков.

— Думаешь, думаешь, старый пес. Потому и позвонил мне спозаранку, и про Надю начал интересоваться. Так они, Верещагины твои, немало душ загубили. Там и еще что-то было, помнится, и...

— Да помню, помню! Просто начинать-то надо с кого-то.

— А крайняя — Горобцова! — фыркнула Ирина Федоровна, тут же, как по команде, заняв оборонительную позицию. Вот он — опыт многих лет.

— Нет, не крайняя. Просто она самая пострадавшая. Насколько помню, у доктора, которого лишили врачебной практики, дети вполне состоялись и в детский дом не попали. Еще одна погибшая роженица родственников вообще не имела, кроме мужа и свекрови. Но, по сплетням, они же ее и заказали. Остальные их дела вообще остались за кадром.

— Остается Надя... — уже тише откликнулась Ирина Федоровна и вздохнула: — А сестра ее? О ней что известно?

— Мне — нет.

— И мне нет. Надя могла бы знать, так она тут на днях вообще сделала вид, что меня не знает, — проговорила Устинова с обидой. — Столько с ней возилась, а она... Прошла, как мимо стены, Жень!

— Горобцова в городе?!

— Ну да. А что?

— Так, так, так... Ир, тут вот какое дело... — Востриков тяжело задышал, будто бежал или на гору поднимался. — Надо бы в отдел к этому следователю съездить и фотографии посмотреть. Там на них вроде все свои снуют, а вдруг?

— Какие фотографии, Жень? Ты о чем? Какой отдел? Мне на работу через полчаса надо, — заныла Устинова, вспомнив с раздражением недоеденный бутерброд и остывший чай. Он теперь-то уж точно остыл, конечно.

— Недалеко от дома, где произошло убийство, на магазине была установлена камера наружного наблюдения. Записи следователи изъяли, нашлепали фотографий, на них вроде все свои. Но... но тебе надо бы взглянуть, Ир. — Он окончательно запыхался и вдруг проговорил:— Все, добрался, открывай. Я у дверей твоих, прекрасная Иришка!

Она переполошилась так, будто за дверью теперь стая волков зубами щелкала, желая порвать ее на части. Женька! За дверью! А она, как старуха, в халате драном и ночной сорочке! И непричесанная, рот в масле, и шпротами изо рта несет. Господи...

— Входи, — щелкнула она замком, чуть приоткрывая дверь. — Я сейчас...

Ей понадобилось полчаса, чтобы привести себя в порядок. Все это время Востриков послушно сидел на ее скрипучем стуле в кухне, сгребая кухонным полотенцем в кучку крошки на столе. Сгребет — разметает. Разметает — снова сгребет.

— Я готова, Жень.

Ирина Федоровна в строгом черном костюме и серой блузке, на высоких каблуках, с укладкой и макияжем была неузнаваема.

— Прекрасно выглядишь, Ириш, — похвалил Востриков, запоздало спохватившись, что приехал к ней в старом свитере, на котором локти просвечиваются. — Небось женихов у тебя строй? Потому и мне отказываешь?

Она рассмеялась и повела к выходу.

— Ну, какие мы с тобой жених и невеста, Востриков? Нам сто лет назад по пятьдесят было! Едем, едем к твоему следователю уже. Да на работу мне надо. А то заскучают без моих разносов сотрудники вместе с воспитанниками...

Данилов был приятно удивлен, когда ему позвонили из дежурной части и доложили о визите Вострикова и Устиновой.

— А я только собирался к вам ехать, Ирина Федоровна! — Он приветливо улыбнулся, пожал им руки. — Чай? Кофе?

Данилов метнулся к чайнику, щелкнул тумблером. Осмотрел пустые чашки. Мишин, гад, не вымыл ни одной, употребляя поочередно из каждой чистой.

— Я сейчас, — сгреб он все чашки в кучу.

— Да погоди ты, подполковник, не суетись,— остановил его Востриков, с интересом осматривая кабинет. — Хорошо у вас стало, нарядно.

— Это после ремонта, мебель поменяли, компьютеры новые. — Данилов поставил чашки обратно, прошел к своему столу.

— Реформы, одним словом, — не без зависти произнес Востриков. Тут же обернулся на Устинову, затихшую на соседнем стуле: — Вот, подполковник Данилов, Ирина Федоровна готова сотрудничать. В том смысле, что готова посмотреть записи с камеры и...

— Отлично! — Данилов вытащил из сейфа большой конверт с фотографиями, положил его на стол Мишину, предложил ей занять его место пока. — Внимательно посмотрите, Ирина Федоровна, может, кто-то покажется вам знакомым.

Она осторожно уселась за стол Игорька Мишина, несколько раз перелистывала снимки, хмурилась. Поджимала губы, качала обескураженно головой. Потом отобрала три снимка, пододвинула их по столу в сторону Данилова:

— Вот.

— Кто это? Кого вы узнали на этих фотографиях? — Данилов удивленно смотрел на снимок, где народу было снято очень много.

— Уборщица... — с неожиданной печалью произнесла Устинова.

— Уборщица?!

Данилов всмотрелся в молодое симпатичное лицо. Невысокая молодая женщина в рабочей спецовке темно-синего цвета. Голова всегда повязана косынкой, волос не видно, руки в перчатках, с ведром, веником, пакетами с мусором.

Уборщица! Господи! Как они могли ее пропустить?!

— Да, эта девушка — Надежда Горобцова. — Ирина Федоровна с грустью качнула головой. — Думаете, она замешана?

— Разберемся...

Через пятнадцать минут, сняв показания с Устиновой на протокол и приобщив к ним показания Вострикова, Данилов вместе с Игорем поехал в ЖЭК, возглавляемый Филоновым. Но перед этим навестили соседей погибших Лопушиных и Воронцова. И узнали много интересного, показав им снимки.

А в ЖЭКе изрядно похудевший, бледный, с мученической улыбкой, без конца тревожившей его поблекший рот, Филонов встретил их настороженно.

— Что опять случилось?! — недобро покосился он в сторону Данилова. И даже упрекнул: — После ваших визитов, товарищ подполковник, я неожиданно попадаю в больницу!

— Не вижу связи, — строго заметил Сергей. — Кто ведает у вас кадрами? Ваш главный бухгалтер, если я не ошибаюсь?

— Да, Анна Львовна. А в чем дело? — отозвался Филонов в надежде, что она где-то прокололась.

Он бы с радостью выпер отсюда эту наглую си-сястую бабу, пристающую к нему при каждом удобном случае. А он слаб был телом, да, слаб! И не каждый раз отвергал ее приставания!

— Пригласите ее, — приказал Данилов. — Срочно!

Анна Львовна явилась, будто за дверью стояла, мгновенно. Филонов, кажется, еще трубку на аппарат не успел опустить, а она в дверь заскреблась.

— Анна Львовна, кто отвечает у вас за убор-щиц?

Данилов оглядел молодящуюся даму с головы до ног, нашел ее наряд вполне приемлемым, макияж сдержанным. И почти не понял, с чего она так раздражает Филонова. А надо было быть слепым, чтобы этого не увидеть.

— В смысле, кто отвечает? За прием на работу или конкретно за их работу? — осторожно поинтересовалась она, сцепив пальчики перед собой, как певичка.

— Прием осуществляете вы?

— Да, я.

— А наряды им выписывает мастер?

— Нет, тоже я. Пришлось взвалить еще и эту обязанность. Ответственность, знаете. Не всякому доверить можно.

Она будто извинялась, что наряду с бухгалтерскими обязанностями тащит еще несколько ставок. Хотя наверняка это нарушение, потому и трусит.

— В доме, в котором недавно произошло убийство, кто убирает? И график... график мне интересен.

— В том доме... — Она театрально приложила ладонь ко лбу, вымученно улыбнулась: — Там вообще какое-то недоразумение с этими уборщицами произошло.

— Какое же? — взвился сразу Филонов, сердито оскалившись в сторону Анны Львовны. — Пока я болел, что тут у вас, Анна Львовна?!

— Понимаете, у нас там по штату одна женщина убирает, Люся. — Она назвала ее фамилию, возраст. — А тут вдруг выясняется, что откуда-то взялась и вторая уборщица. Причем у нас разнарядка на уборку через день среди недели, выходные есть выходные, их никто не трогает. А так уборка осуществляется в понедельник, среду, пятницу. А тут вдруг оказывается, что убирают в том доме каждый день. Кроме выходных, разумеется. И все всех устраивало, пока так убирали. А потом вдруг сменщица непонятная пропала. Ко мне пошел народ с жалобами. Зачем, говорят, девушку уволили?! Я ничего не понимаю, вызываю нашу постоянную уборщицу, что по штату числится. Допрашиваю, простите, не хуже вас. Говорю, что за дела? Ты что, говорю, то каждый день пол моешь, то вообще забросила?

— А она что?

— А она глаза таращит. Говорит, как мыла, так и мою. А народ-то вопит! Я им штатное расписание показываю. Вот, мол, одна у нас по штату на ваш дом уборщица.

— А они что?

— А они вопят, будто не слышат, куда вторую я дела?! А куда я ее дела, если я ее не видела ни разу и на работу не принимала!

Данилов показал ей фотографии с изображением Горобцовой:

— Эту принимали?

— Нет! Я принимала взрослую женщину, она на пенсии по вредности. А эта совсем соплячка, простите, — она виновато улыбнулась в прищуренные глаза Филонова. — Эту я впервые вижу.

— А вот жильцы того дома видели ее через день, — уточнил Данилов, поднимаясь с места. — Зайдете завтра к нам, запротоколируем ваши показания, Анна Львовна.

Она вышла из кабинета. А Филонов вдруг спросил у Данилова, направившегося к двери:

— Значит, эта девка мыла там полы из благотворительных побуждений, а после убийства вдруг исчезла, так?

— Это я у вас должен спросить, — не стал вдаваться в подробности Сергей, открывая дверь. — Почему у вас на участке творится черт знает что?

Следователи ушли, а Филонов, просидев в задумчивости минут пять, вдруг схватился за мобильник.

— Алло, Степка, здорово! — крикнул он.

— Чего орешь? Оживел, что ли, после диареи? — Мазила захихикал.

— Чего ты вот начинаешь? Не было диареи, придурок! Не бы-ло! — по слогам произнес Филонов. — Острый приступ холецистита, понял?

— Понял. Че, и бухать теперь не будешь?

— Видимо, нет, — расстроился сразу Филонов.

Доктор сказал, что в следующий раз его могут не откачать после таких гулянок.

— Ты чего звонишь-то, Жэка? Соскучился, что ли? Или догадался, кто народ положил? — Мазила снова противно захихикал. — Мы тут даже став-

298

ки с пацанами сделали. Догадаешься, нет? Пацаны на тебя, идиоты, поставили. А я — нет, думаю, что я выиграл. Тебе ни в жизни не угадать и...

— Уборщица, — тихим голосом перебил его Филонов. — Молодая девка, рядилась в уборщицу. Она всех положила, Степа. Так что ты, кажется, в полной попе, Степа...

ГЛАВА 18

Она не знала и не помнила, когда в ней умер тот болевой порог, за которым совершенно не чувствуешь чужой, а иногда и собственной боли. Не помнила, когда перестала сочувствовать, жалеть. Не запомнила и день, когда превратилась в отвратительное, даже самой себе, создание.

Единственное, что навечно привила ей жизнь, — это ненависть.

Она ненавидела все! Ясный день и дождь с ветром. Лето и осень, опережающие зиму. Ненавидела саму жизнь, превратившую ее в такое чудовище.

— Надька, да ты просто зверь! — восхищались много лет назад ее подельники, когда она на спор разорвала голыми руками живую кошку.

— Надежда, это дело можно доверить только тебе, — вкрадчивыми голосами поручали ей незначительные поручения серьезные дяди, когда надо было просто кого-то наказать.

После того как ее посадили в первый раз, а потом чуть не посадили и во второй, о ней стали говорить уже почти шепотом.

— Да, наша Надежда надежды никакой на жизнь не оставляет, — осторожно посмеивались более серьезные дяди, когда она не села во второй раз потому, что убрала всех возможных свидетелей.

«Никогда никаких следов и свидетелей» — было ее девизом.

«Никогда ничего личного» — было существенным дополнением к ее девизу.

Последнее дело она провалила, и знала это. Она наследила, и дело это оказалось слишком личным.

Зачем она за него взялась? От ненависти? От скуки? От отвращения к сложившейся удачно жизни родной сестры? Она ведь нашла ее. Все же нашла. Уже взрослую, красивую, удачливую. Не желающую знать ее, непристойно себя ведущую. Надя плюнула ей в холеную физиономию, выругалась как можно грязнее и ушла.

Тварь! Хоть бы она сдохла тогда вместо матери и отца. Тварь!

Надя не знала, зачем она пошла на убийство. Или просто не хотела копаться в своей душе. Там, было темно, гулко от пустоты. Там нечего было нарыть. Просто решила стереть с лица земли докторскую парочку в какой-то момент, и все. Решила — сделала.

Она знала, что ее найдут, и почти не боялась. Так, что-то дергалось нечасто внутри, какой-то нерв, отвечающий за инстинкт самосохранения, но не более того.

Сесть она не боялась. Какая разница, где засыпать и где просыпаться? Она и на воле сладко не спит. Какая разница, где жрать баланду? Она на зоне лучше хавает. Ее никто не ждет ни там, ни здесь. По ней никто не скучает. Ей без разницы, где прожигать свою жизнь. И, в конце концов, она выполнила обязательства — отомстила за родителей, за этот поступок серьезные люди ее не могут не уважать.

Ее взяли в супермаркете. Через неделю после того, как расклеили на щитах и фонарных столбах листовки с ее физиономией. Взяли прямо на кассе, где она платила за кефир, упаковку «бомжа» и батон. Видимо, кассирша — сытая надменная рожа — нажала какую-то невидимую кнопку, раз ее взяли тут же в кольцо со всех сторон. Даже не дали возможности запустить в них упаковкой кефира.

Ну, взяли и взяли. Потом допрос, много допросов. Она со счету сбилась, отвечая, не кривя душой. Как случайно встретилась у кинотеатра с Лопушиными, которых знала еще как Верещагиных. Как они ржали счастливо, выходя после комедии. И решила там же, что для нее дело чести — стереть с их сытых рож счастливые улыбки. Начала ходить к ним в дом под видом уборщицы. Приходилось, конечно, убирать и в соседних подъездах, чтобы подозрения не вызывать. Прокатило! И с дедом повезло. Просто супер, как повезло! Она-то не особо представляла, как отправит эту сладкую парочку к своим родителям. Пока с дедом этим не сошлась поближе. Тот еще был болтун! Его хату она вскрыла без особого труда. Утащила запасные ключи, потом, когда время пришло, стянула пистолет. Постреляла всех и через последний подъезд ушла, подальше от места преступления.

Облажалась, конечно, с последовательностью выстрелов. Тут правоту следака она не признать не могла. И то, что пороха у деда на руках не оказалось. Надо было сначала дедулю отключить, потом убить сволочей докторишек. Вернуться в хату к деду и сделать все грамотно. Но громко было, без глушителя. Времени особо не было.

Облажалась...

Потому что спешила и потому что дело было слишком личным. А это мешать не следовало.

— Вы очень правдиво отвечали на все мои вопросы, — сказал как-то в своей заключительной речи следователь Данилов, который ей нравился чисто как мужик, как мента она его любить была не обязана. — Ответьте еще на один, последний вопрос. Не для протокола.

— Ну? — Надежда подняла на него пустой взгляд, которым загораживалась от мира всю свою жизнь.

— Вам не жалко было старика? Он ведь привязался к вам, доверял вам. Не жалко?

— Ему все равно было скоро в ящик, — ответила она то, что думала.

— А его внучку? Не жалко?

— Это уже второй вопрос, начальник. — Она ухмыльнулась, почувствовав ревностный укол.

Наверняка ходит кругами вокруг этой глазастой девки. Неспроста же так землю рыл, разыскивая ее, Надежду Горобцову. Мог бы запросто списать все на старика. Подумаешь, следов пороха не было. Подумаешь, левшой был. Кому из ментов надо так заморачиваться, если не личный интерес в деле?

— И все же? Не жаль было этой девушки? Она ведь ни в чем не виновата. Вы списали ее деда, как... — Он с гневом подыскивал слова, наконец нашел: — Как расходный материал! Дед единственный, кто у нее оставался!

— Про себя не забудь, начальник, — оскалилась Надя в подобии улыбки. — Теперь утешишь сиротку. Не слепая, вижу, интерес твой вижу. А что касается жалости... Вот что я тебе скажу, начальник. Я не знаю, что это такое! Не знаю... Может, ты мне расскажешь, а?..

Да, Данилов мог бы многое рассказать ей о том, как сжимается и щемит у него сердце, когда он смотрит на Сашу Воронцову, когда слышит ее голос. Как тяжело ему смотреть, когда она плачет над могилой деда. Как ему хочется укрыть ее, спрятать от всего, что способно сделать ей больно, что способно снова заставить ее страдать.

Жалость то была или любовь, или и то и другое, вместе взятое, — неизвестно. Он просто понял, что не может без нее. Боится за нее каждую минуту. А это как называется?

Но объяснять он ничего не стал. Это личное, очень личное. Он и Горячеву так сказал, когда тот возмутился, с чего это Данилов запрещает ему звонить Саше, запрещает видеться с ней.

— Я чист перед законом, Сергей Игнатьевич! — вопил Горячев возле лифта в Сашином доме, откуда его Данилов вытащил за шиворот. — Чего вы? Ваш-то какой интерес теперь в этом деле?!

— Мой теперь интерес в этом деле личный, Горячев. Понял?

Не понял с первого раза. И даже со второго тоже, продолжая звонить, приходить и демонстрировать коробочку с кольцом и Саше, и Данилову, без конца бубня о серьезности своих намерений.

Понял с третьей попытки, стоившей ему громадного синяка под левым глазом и трех оторванных пуговиц на пиджаке. Понял и отступил. Хотя Саша Воронцова пока никак личный интерес Данилова не подогревала. Никак! Иногда ему казалось, что она его просто терпит, позволяя охранять, оберегать, опекать. Или спасается с ним от одиночества.

И полной неожиданностью для него явилось ее «да», когда он явился с ней со своим кольцом, может, и не таким дорогим, как у Горячева.

— Что? Да?

Данилов на коленях не стоял. Как-то постеснялся театральности такой. В прихожей ее стоял, у самой двери. Как зашел, так сразу за кольцом и полез в карман. А когда она вдруг сказала «да», то готов был уже, точно готов на колени упасть. И упал бы, не обними она его в тот момент.

— Точно, да? — переспросил он на всякий случай.

— Точно, да! — Саша улыбнулась. И легонько шлепнула его по затылку ладошкой. — Думала, уж этого никогда не случится с тобой, Данилов. Ну что же ты так долго собирался?..

ТАТЬЯНА КОГАН

**Новый шокирующий роман Татьяны КОГАН
«Человек без сердца».**

Когда-то четверо друзей начали жестокую и циничную игру, ставкой в которой стала не одна человеческая жизнь. Какова будет расплата за исковерканные судьбы? И есть ли оправдание тем, кто готов на все ради достижения своих целей?

**Читайте романы Татьяны КОГАН
в остросюжетной серии «ЧУЖИЕ ИГРЫ»**

ГЛАВА 1

Психотерапевт Иван Кравцов сидел у окна в мягком плюшевом кресле. Из открытой форточки доносился уличный гул; дерзкий весенний ветер трепал занавеску и нагло гулял по комнате, выдувая уютное тепло. Джек (так его величали друзья в честь персонажа книги про доктора Джекила и мистера Хайда) чувствовал легкий озноб, но не предпринимал попыток закрыть окно. Ведь тогда он снова окажется в тишине — изматывающей, ужасающей тишине, от которой так отчаянно бежал.

Джек не видел окружающий мир уже месяц. Целая вечность без цвета, без света, без смысла. Две операции, обследования, бессонные ночи и попытки удержать ускользающую надежду — и все это для того, чтобы услышать окончательный приговор: «На данный момент вернуть зрение не представляется возможным». Сегодня в клинике ему озвучили неутешительные результаты лечения и предоставили адреса реабилитационных центров для инвалидов по зрению. Он вежливо поблагодарил врачей, приехал домой на такси, поднялся в квартиру и, пройдя в гостиную, сел у окна.

Странное оцепенение охватило его. Он перестал ориентироваться во времени, не замечая, как минуты превращались в часы, как день сменился вечером, а вечер — ночью. Стих суетливый шум за окном. В комнате стало совсем холодно.

Джек думал о том, что с детства он стремился к независимости. Ванечка Кравцов был единственным ребенком в семье, однако излишней опеки не терпел абсолютно. Едва научившись говорить, дал понять родителям, что предпочитает полагаться на свой вкус и принимать собственные решения. Родители Вани были мудры, к тому же единственный сын проявлял удивительное для своего возраста здравомыслие. Ни отец, ни мать не противились ранней самостоятельности ребенка. А тот, в свою очередь, ценил оказанное ему доверие и не злоупотреблял им. Даже в выпускном классе, когда родители всерьез озаботились выбором его будущей профессии, он не чувствовал никакого давления с их стороны. Родственники по маминой линии являлись врачами, а дедушка был известнейшим в стране нейрохирургом. И хотя отец отношения к медицине не имел, он явно был не против, чтобы сын развивался в этом направлении.

Ожесточенных споров в семье не велось. Варианты дальнейшего обучения обсуждались после ужина, тихо и спокойно, с аргументами «за» и «против». Ваня внимательно слушал, озвучивал свои желания и опасения и получал развернутые ответы. В итоге он принял взвешенное решение и, окончив школу, поступил в мединститут на факультет психологии.

Ему всегда нравилось изучать людей и мотивы их поступков, он умел докопаться до истинных причин их поведения. Выбранная специальность предоставляла Джеку широкие возможности для совершенствования таких навыков. За время учебы он не пропустил ни одной лекции, штудируя дополнительные материалы и посещая научные семинары. К последнему курсу некоторые предметы студент Кравцов знал лучше иных преподавателей.

Умение видеть то, чего не видит большинство людей, позволяло ему ощущать себя если не избранным, то хотя бы не частью толпы. Даже в компании близких друзей Джек всегда оставался своеобразной темной лошадкой, чьи помыслы крайне сложно угадать. Он никогда не откровенничал, рассказывал о себе ровно столько, сколько нужно для поддержания в товарищах чувства доверия и сопричастности. Они замечали его уловки, однако не делали из этого проблем. Джеку вообще повезло с приятелями. Они принимали друг друга со всеми особенностями и недостатками, не пытались никого переделывать под себя. Им было весело и интересно вместе. Компания образовалась в средних классах школы и не распадалась долгие годы. Все было хорошо до недавнего времени...

Когда случился тот самый поворотный момент, запустивший механизм распада? Не тогда ли, когда Глеб, терзаемый сомнениями, все-таки начал пятый круг? Захватывающий, прекрасный, злополучный пятый круг...

Еще в школе они придумали игру, которая стала их общей тайной. Суть игры заключалась в том, что каждый из четверых по очереди озвучивал свое желание. Товарищи должны помочь осуществить его любой ценой, какова бы она ни была. Первый круг состоял из простых желаний. Со временем они становились все циничней и изощренней. После четвертого круга Глеб решил выйти из игры. В компании он был самым впечатлительным. Джеку нравились эксперименты и адреналин, Макс не любил ничего усложнять, а Елизавета легко контролировала свои эмоции. Джек переживал за Глеба и подозревал, что его склонность к рефлексии еще сыграет злую шутку. Так и произошло.

Последние пару лет Джек грезил идеей внушить человеку искусственную амнезию. Его всегда манили эксперименты над разумом, но в силу объективных причин разгуляться не получалось. Те немногие пациенты, которые соглашались на гипноз, преследовали цели незамысловатые и предельно конкретные, например, перестать бояться сексуальных неудач. С такими задачами психотерапевт Кравцов справлялся легко и без энтузиазма. Ему хотелось большего.

Чуть меньше года назад идея о собственном эксперименте переросла в намерение. Обстоятельства сложились самым благоприятным образом: Глеб, Макс и Елизавета уже реализовали свои желания. Джек имел право завершить пятый круг. И он не замедлил своим правом воспользоваться.

Они нашли подходящую жертву. Подготовили квартиру, куда предполагалось поселить лишенного памяти подопытного, чтобы Джеку было удобно за ним наблюдать. Все было предусмотрено и перепроверено сотню раз и прошло бы без сучка и задоринки, если бы не внезапное вмешательство Глеба.

Он тогда переживал не лучший период в жизни — родной брат погиб, жена сбежала, отношения с друзьями накалились. Но даже проницательный Джек не мог предположить, насколько сильна депрессия Глеба. Так сильна, что в его голове родилась абсолютно дикая мысль — добровольно отказаться от своего прошлого. Глеб не желал помнить ни единого события прежней жизни. Он хотел умереть — немедленно и безвозвратно. Джек понимал, что если ответит Глебу отказом, тот наложит на себя руки. И Кравцов согласился.

К чему лукавить — это был волнующий опыт. Пожалуй, столь сильных эмоций психотерапевт Кравцов не испытывал ни разу. Одно дело — ставить эксперимент над незнакомцем и совсем другое — перекраивать близкого человека, создавая новую личность. Жаль, что эта новая личность недолго находилась под его наблюдением, предпочтя свободу и сбежав от своего создателя. Джек утешился быстро, понимая: рано или поздно память к Глебу вернется, и он появится на горизонте. А чтобы ожидание блудного друга не было унылым, эксперимент по внушению амнезии можно повторить с кем-то другим[1].

Джек поежился от холода и усмехнулся: теперь ему сложно даже приготовить себе завтрак, а уж об играх с чужим сознанием речь вообще не идет. Вот так живешь, наслаждаясь каждым моментом настоящего, строишь планы, возбуждаешься от собственной дерзости и вдруг в один миг теряешь все, что принадлежало тебе по праву. Нелепое ранение глазного яблока — такая мелочь для современной медицины. Джек переживал, но ни на секунду не допускал мысли, что навсегда останется слепым. Заставлял себя рассуждать здраво и не впадать в отчаяние. Это было трудно, но у него просто не оставалось другого выхода. В критических ситуациях самое опасное — поддаться эмоциям. Только дай слабину — и защитные барьеры, спасающие от безумия, рухнут ко всем чертям. Джек не мог так рисковать.

---

[1] Читайте об этом в романах Татьяны Коган «Только для посвященных» и «Мир, где все наоборот», издательство «Эксмо».

В сотый раз мысленно прокручивал утренний разговор с врачом и никак не мог поверить в то, что ничего нельзя изменить, что по-прежнему никогда не будет, и отныне ему предстоит жить в темноте. Помилуйте, да какая же это жизнь? Даже если он научится ориентироваться в пространстве и самостоятельно обеспечивать себя необходимым, есть ли смысл в таком существовании?

К горлу подступила тошнота, и Джеку понадобились усилия, чтобы справиться с приступом. Психосоматика, чтоб ее... Мозг не в состоянии переварить ситуацию, и организм реагирует соответствующе. Вот так проблюешься на пол и даже убраться не сможешь. Макс предлагал остаться у него, но Джек настоял на возвращении домой. Устал жить в гостях и чувствовать на себе сочувствующие взгляды друга, его жены, даже их нелепой собаки, которая ни разу не гавкнула на незнакомца. Вероятно, не посчитала слепого угрозой.

Вопреки протестам Макса, несколько дней назад Джек перебрался в свою квартиру. В бытовом плане стало труднее, зато отпала необходимость притворяться. В присутствии Макса Джек изображал оптимистичную стойкость, расходуя на это много душевных сил. Не то чтобы Кравцов стеснялся проявлений слабости, нет. Просто пока он не встретил человека, которому бы захотел довериться. Тот же Макс — верный друг, но понять определенные вещи не в состоянии. Объяснять ему природу своих страхов и сомнений — занятие энергозатратное и пустое. Они мыслят разными категориями.

В компании ближе всех по духу ему была Елизавета, покуда не поддалась неизбежной женской слабости. Это ж надо — столько лет спокойно дружить и ни с того ни с сего влюбиться. Стремление к сильным впечатлениям Джек не осуждал. Захотелось страсти — пожалуйста, выбери кого-то на стороне да развлекись. Но зачем поганить устоявшиеся отношения? Еще недавно незрелый поступок подруги, как и некоторые другие события, всерьез огорчали Ивана. Сейчас же воспоминания почти не вызывали эмоций, проносясь подвижным фоном мимо одной стабильной мысли.

Зрение никогда не восстановится.

Зрение. Никогда. Не восстановится.

Джек ощущал себя лежащим на операционном столе пациентом, которому вскрыли грудную клетку. По какой-то причине он остается в сознании и внимательно следит за происходящим. Боли нет. Лишь леденящий ужас от представшей глазам картины. Собственное сердце — обнаженное, красное, скользкое — пульсирует в нескольких сантиметрах от лица. И столь омерзительно прекрасно это зрелище, и столь тошнотворно чарующ запах крови, что хочется или закрыть рану руками, или вырвать чертово сердце... Только бы не чувствовать. Не мыслить. Не осознавать весь этот кошмар.

Джек вздрогнул, когда раздался звонок мобильного. Все еще пребывая во власти галлюцинации, он автоматически нащупал в кармане трубку и поднес к уху:

— Слушаю.

— Здорово, старик, это я. — Голос Макса звучал нарочито бодро. — Как ты там? Какие новости? Врачи сказали что-нибудь толковое?

— Не сказали.

— Почему? Ты сегодня ездил в клинику? Ты в порядке?

Джек сделал глубокий вдох, унимая внезапное раздражение. Говорить не хотелось. Однако, если не успокоить приятеля, тот мгновенно явится со спасательной миссией.

— Да, я в порядке. В больницу ездил, с врачом говорил. Пока ничего определенного. Результаты последней операции еще не ясны.

В трубке послышалось недовольное сопение:

— Может, мне с врачом поговорить? Что он там воду мутит? И так уже до хрена времени прошло.

— Макс, я ценю твои порывы, но сейчас они ни к чему, — как можно мягче ответил Джек. — Все идет своим чередом. Не суетись. Договорились? У меня все нормально.

— Давай я приеду, привезу продуктов. Надьку заодно прихвачу, чтобы она нормальный обед приготовила, — не унимался друг.

Джек сжал-разжал кулак, призывая самообладание.

— Спасибо. Тех продуктов, что ты привез позавчера, хватит на несколько недель. Пожалуйста, не беспокойся. Если мне что-то понадобится, я тебе позвоню.

Максим хмыкнул:

— И почему у меня такое чувство, что если я сейчас не отстану, то буду послан? Ладно, старик, больше не надоедаю. Вы, психопаты, странные ребята. Наберу тебя на неделе.

— Спасибо. — Джек с облегчением положил трубку. Несколько минут сидел неподвижно, вслушиваясь в монотонный гул автомобилей, затем решительно встал и, нащупав ручку, закрыл окно.

Если он немедленно не прекратит размышлять, то повредит рассудок. Нужно заставить себя заснуть. Завтра будет новый день. И, возможно, новые решения. Перед тем как он впал в тревожное забытье, где-то на задворках сознания промелькнула чудовищная догадка: жизнь закончена. Иван Кравцов родился, вырос и умер в возрасте тридцати трех лет...

ОГЛАВЛЕНИЕ

Литературно-художественное издание

ДЕТЕКТИВНАЯ МЕЛОДРАМА
Книги Г. Романовой

Романова Галина Владимировна

ПОСЛЕДНЕЕ ПРИБЕЖИЩЕ НЕГОДЯЯ

Ответственный редактор *О. Завалий*
Редактор *О. Бабкова*
Художественный редактор *А. Дурасов*
Технический редактор *Г. Романова*
Компьютерная верстка *Е. Зарубаева*
Корректор *М. Ионова*

В оформлении обложки использована фотография:
Zastolskiy Victor / Shutterstock.com
Используется по лицензии от Shutterstock.com

ООО «Издательство «Эксмо»
123308, Москва, ул. Зорге, д. 1. Тел. 8 (495) 411-68-86, 8 (495) 956-39-21.
Home page: **www.eksmo.ru**   E-mail: **info@eksmo.ru**

Өндіруші: «ЭКСМО» АКБ Баспасы, 123308, Мәскеу, Ресей, Зорге көшесі, 1 үй.
Тел. 8 (495) 411-68-86, 8 (495) 956-39-21
Home page: www.eksmo.ru   E-mail: info@eksmo.ru.
Тауар белгісі: «Эксмо»
Қазақстан Республикасында дистрибьютор және өнім бойынша
арыз-талаптарды қабылдаушының
өкілі «РДЦ-Алматы» ЖШС, Алматы қ., Домбровский көш., 3«а», литер Б, офис 1.
Тел.: 8 (727) 2 51 59 89,90,91,92, факс: 8 (727) 251 58 12 вн. 107; E-mail: RDC-Almaty@eksmo.kz
Өнімнің жарамдылық мерзімі шектелмеген.
Сертификация туралы ақпарат сайтта: www.eksmo.ru/certification

Сведения о подтверждении соответствия издания согласно
законодательству РФ о техническом регулировании можно
получить по адресу: http://eksmo.ru/certification/

Өндірген мемлекет: Ресей
Сертификация қарастырылмаған

Подписано в печать 13.02.2015. Формат 84x108¹/₃₂.
Гарнитура «Журнальная». Печать офсетная. Усл. печ. л. 16,8.
Тираж 3 000 экз. Заказ 1129.

Отпечатано с готовых файлов заказчика
в ОАО «Первая Образцовая типография»,
филиал «УЛЬЯНОВСКИЙ ДОМ ПЕЧАТИ»
432980, г. Ульяновск, ул. Гончарова, 14

ISBN 978-5-699-78750-0

ОЛЬГА
ВОЛОДАРСКАЯ

СЕРИЯ «НЕТ ЗАПРЕТНЫХ ТЕМ»

Детективы Ольги Володарской сочетают остроту современной прозы и напряженность психологического триллера. В них вы найдете все, что хотели, но боялись узнать. Для Ольги Володарской нет запретных тем!

«Девять кругов рая»
«Призрак большого города»
«Ножницы судьбы»

АННА И СЕРГЕЙ
ЛИТВИНОВЫ

ВЫСОКОЕ
ИСКУССТВО ДЕТЕКТИВА

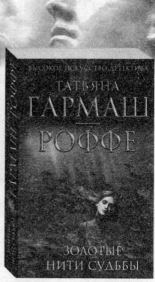

ТАТЬЯНА ГАРМАШ-РОФФЕ отлично знает, каким должен быть настоящий детектив, и следует в своих романах законам жанра. Театральный критик, она умеет выстраивать диалоги и драматургию чувств. Неординарная личность, она дарит часть своей харизмы персонажам. Непредсказуемость сюжетных поворотов, точность в логике и деталях, психологическая достоверность в описании чувств, — таково ВЫСОКОЕ ИСКУССТВО ДЕТЕКТИВА Татьяны Гармаш-Роффе.

Вы можете обсудить роман и пообщаться с автором на его сайте.

Адрес сайта: www.garmash-roffe.ru